俳句で巡る日本の樹木50選

Takao Hirowatari
広渡敬雄

本阿弥書店

目次

装幀　間村俊一

①杉（熊野古道・大門坂）

日本固有種、最多の植林樹

杉は、日本特産。長寿の木で、屋久島の縄文杉は推定樹齢数千年とも言われる。

　建築用材として全国で最も多く植林され、地域品種として屋久杉、飫肥《おび》杉、日田杉、吉野杉、北山杉、天竜杉、秋田杉等が知られる。風媒花で春、多量の花粉を飛ばすため、花粉症の原因となり、悩ましい。樹皮は外壁・屋根（杉皮葺）、葉は線香に使われる。また、世界最長三十五キロメートル超の日光街道杉並木、箱根旧街道、羽黒山参道の杉並木も名高い。

北山の夜の長さを杉育つ　細見綾子
杉葉搗く香に秋水のみづぐるま　野澤節子
杉の実の見ゆるほどなる山月夜　大峯あきら
杉苗の束割る杉の苗はじけ　今瀬剛一
山始杉の挿し穂の明らめり　宮坂静生
ひぐらしのこころに近し杉木立　今井　豊

　磨き丸太として床柱に使われる洛北の杉林の秋夜を描く（綾子）、乾燥させた杉葉を水車の杵で搗いての線香作り（節子）、杉の小さな球果が緑から焦げ茶になる晩秋の月夜の明るさ（あきら）、苗束を解くと、早く植えてくれ！　と杉苗が弾ける（剛一）、杉苗が朝日に照らされ、新年の山の儀式では、春に植樹されるこれらの苗の順調な生育も祈願される（静生）、深閑とした杉木立の中の作者。大患の身にひぐらしの声が殊に心に沁み入る（豊）。

　世界文化遺産の熊野古道の大辺路《おおへち》は、紀伊半島を西から海沿いに辿り、那智勝浦から北上して大門坂、熊野那智大社・青岸渡寺、更に山深い大雲取・小雲取を越えて霊地大斎原《おおゆのはら》の熊野本宮大社（明治二十二年の大水害で社殿流失、現在は山側に移築）に至る。主流は中辺路《なかへち》で西の田辺から山間を進み大斎原に到着後、舟で熊野川を下り、新宮の熊野速玉大社を経て熊野那智大社。さらに雲取越えの後、帰路につくことになる。

▼杉の実（以下、提供者の表示がないものは著者撮影）

▲熊野古道・大門坂の杉並木（写真提供：一般社団法人 那智勝浦観光機構）

藤原定家が後鳥羽院に随行した『熊野御幸日記』に詳しい。高野山から果無《はてなし》山脈を越えての最短の小辺路《こへち》もあり、一般庶民の熊野参拝も盛んで「蟻の熊野詣」と言われた。大門坂は聖地「那智山」への苔むした石畳の全長約六百メートルの杉並木で、熊野詣の霊気が漂う。入口に樹齢約八百年の「夫婦杉」があり、登り切って一汗かいた後の那智の滝の絶景は言葉に言い表せないほどの神々しさである。

行く年の大門坂の杉薫る　堀本裕樹
青岸渡寺一羽よぎれる黒揚羽　古賀まり子
神にませばまこと美はし那智の滝　高濱虚子
滝落ちて群青世界とゞろけり　水原秋櫻子
雲取や羊歯震はせて鹿のこゑ　広渡敬雄
生きてゐしかば大斎原の若菜摘む　後藤綾子

当地出身の作者、大年の大門坂の杉が芳しい（裕樹）、朱塗りの三重塔を翔ける一羽の黒揚羽の存在感（まり子）、滝を神と言い切り荘厳な美を謳い上げた昭和八年の作（虚子）、滝と一体となり、本人が「生涯の一句」と自讃する句（秋櫻子）、定家も苦しんだ熊野那智大社から本宮への険しい帰路の大雲取・小雲取越えでは、もの悲しい鹿の声が響きわたる（敬雄）、社殿流失地の熊野川の中州には今も霊地の気配が漂い、病が癒える願いを静かに詠う（綾子）。

照葉樹の代表的樹木

②椿（足摺岬）

椿はツバキ科の常緑樹で、日本の照葉樹を代表する。なお、椿は国字で中国では山茶。足摺岬、伊豆大島、山口県萩市・笠山の群生林や奈良白毫寺の樹齢四百年超の五色椿が名高い。江戸時代に将軍、大名、公家、さらに庶民までその園芸を好み、自生の藪椿から多くの品種が作られた。茶道でも珍重され「茶花の女王」と称される。建築用材ではなく工芸材（印材・将棋の駒等）とされ、実を絞った椿油が高級食用油、整髪料となり伊豆大島産が有名である。

ゆらぎ見ゆ百の椿が三百に　高濱虚子
赤い椿白い椿と落ちにけり　河東碧梧桐
かほどまで咲くこともなき椿かな　飯島晴子
落椿われならば急流へ落つ　鷹羽狩行
みな椿落ち真中に椿の木　今瀬剛一
口ぢゅうを金粉にして落椿　長谷川櫂
鳥の貌よく見えてをり藪椿　大西　朋

椿を愛しその忌日も椿寿忌と称されるが、椿林の春昼の駘蕩を詠う（虚子）、口語調と色彩の対比で人口に膾炙し、碧梧桐のその後の新傾向俳句をも暗示する（碧梧桐）、所狭しと咲き乱れる椿への晴子らしい冷めた視線（晴子）、俳句への不退転の思いを激流の椿に託す（狩行）、一面に散り敷く落椿の真ん中の椿の木の存在感（剛一）、落椿の散らばった蕊の金粉を俳味たっぷりに詠う（櫂）、藪椿の蜜を吸いにやって来る目白か鵯だろうか（朋）。

土佐清水市の足摺岬は、四国最南端で八十メートル余の断崖絶壁。アコウ等の亜熱帯林や椿林が繁茂し、白亜の燈台（日本の灯台50選）が立ち、四国最大の霊場の一つ、第三十八番札所蹉跎山《さだざん》金剛福寺がある。ちなみに「蹉跎」は足を摺る

▼白椿

▼紅椿

との意味があり、その縁起もある。第三十七番札所岩本寺から当寺まで、四国遍路最長の八十キロ余もあり、遍路は絶えず左手に広がる太平洋と語り合いながら辿り着く。人生に絶望した青年の回生と、赤い糸で結ばれた人との出会い、戦後再び当地を訪ねるという物語の田宮虎彦の不朽の名作『足摺岬』が当地を一躍有名にした。漁で遭難しアメリカに渡り、幕末に日本の国際化に尽力したジョン万次郎の出身地・中浜は岬の西側にあり、名物の鰹のタタキも土佐清水が発祥地である。

▲足摺岬の椿のトンネル（写真提供：土佐清水市観光商工課）

われいまここに海の青さのかぎりなし　種田山頭火
黒潮へ傾き椿林かな　高濱年尾
燈台へ椿の径のかくす海　長谷川素逝
海は秋灯台を出る厨水　飴山　實
ファインダーにあふるる春の岬かな　広渡敬雄

足摺岬は補陀落渡海の地でもあり、先祖の魂が居る常世の国への思いも見える（山頭火）、岬の間近に押し寄せる黒潮が椿林越しに鮮やかに見えるようだ（年尾）、燈台への椿のトンネルを歩きながら、紺碧の海への期待が高まる（素逝）、燈台を守る人の日々の生活の一齣が覗く（實）、地球の丸さが実感出来る壮大なパノラマだが、補陀落浄土を信仰し、大海原に漕ぎ出して帰って来なかった僧を思うと一転恐ろしくもある（敬雄）。

③魚付林（気仙沼・唐桑の海）

豊かな漁場を育む森林

東日本大震災で壊滅的な被害を受けた宮城県気仙沼・唐桑の海の牡蠣筏。後背地である室根山から流れ込む栄養豊かな土壌に含まれるミネラル（鉄分）が豊穣の海を齎すため、永年畠山重篤氏（牡蠣養殖業）が中心となり、その山中で「森は海の恋人」と名付けた植樹活動を行い漁場も回復している。

魚介類の餌の養分を供給し、程よい木陰となり、土砂の流失を防ぎ漁場を保護する山の保安林を魚付林《うおつきりん》と言い、神奈川県真鶴半島、丹後半島の舟屋の里伊根の森、新潟県村上市の三面川河口の「鮭を呼ぶ森」、最大面積を占める北海道等々、国内で六万ヘクタールの森林がある。真鶴半島には〈真鶴の林しづかに海の色のさやけき見つつわが心清し　佐佐木信綱〉の歌碑があるが、正に魚付林を詠んだものである。

結び葉にこもる潮鳴り魚付林　田中英子
魚付林のお天気雨を頬張るらん　大沼正明
魚付林の朝澄みうつる夏の海　高田蝶衣
名草の芽踏んで魚付林の奥　菊田一平
魚付林昏し沖なる牡蠣筏　広渡敬雄

若葉が重層的に茂り潮鳴りまでも吸い込まれる森（英子）、魚付林の小降りの雨を樹々も作者もたっぷり吸収している（正明）、波もない青々とした夏の海にやや陰りのある森が映し出される（蝶衣）、魚付林の奥深く春の息吹の様々な草の芽を踏んで歩く（一平）。

（旧）陸中海岸国立公園の南玄関・気仙沼は漁獲水揚高で全国十指に入り、とりわけフカヒレ生産や生鮮鰹、メカジキ水揚は日本一を誇り、他に鮪、秋刀魚も多い。大津波に因る廃墟の惨状はまだ市内に残り、所狭しと嵩上げの大きな盛り土も目立つが、復興は確実に進んでいる。

▶亀山からの気仙沼大島眺望

今般の大津波の被災物・被災写真を常設展示するリアス・

◀亀山山頂より唐桑の海（牡蠣筏）（写真提供：気仙沼市産業部観光課）

アーク美術館、日本唯一の鮫の博物館（シャークミュージアム）も一見の価値がある。湾内の気仙沼大島の亀山（陸中海岸随一の展望地）に登ると、南に広大な太平洋、西から北そして東にかけ、気仙沼市街、牡蠣・帆立の養殖の唐桑の海、唐桑半島が一望される。唐桑は前九年の役の伝説や風光明媚な奇岩怪石で名高く、ブランド牡蠣「もまれ牡蠣」は最高の味覚と称される。

春の海めぐらして陽の唐桑は　宮 慶一郎

鳥渡る神代文字なる鯨塚　菊田島椿

三陸の海を怨まず磯菜摘む　しなだしん
（気仙沼・岩井崎）

磯馴松そびらに鹿尾菜掻きゐたり　鈴木直充
（気仙沼大島・龍舞崎）

あれ黒潮あれ金華山春疾風　上野一孝
（気仙沼大島・亀山）

唐桑半島をぐるりと囲む春の海の眩しさ（慶一郎）、気仙沼大島在住、白鯨伝説に基づく唐桑の鯨塚に着目した（島椿）、魚介類の豊穣な三陸海岸は大津波もしばしば襲うがそれを怨まず生き抜くしかない（しん）、魚付林でもある松林を背に一心に鹿尾菜を掻く景を描く（直充）、春疾風の中、亀山からの洋々たる絶景が鮮やかだ（一孝）。

④山毛欅の美人林（新潟県十日町市松之山）

山毛欅《ぶな》は日本の植生図の温帯の主要樹（暖帯は椎・樫）で北海道南部から九州の山岳地まで広がる落葉高木。灰白色の樹皮が印象的で、残雪期に芽吹き、透き通る若葉、夏は濃い青葉、秋は萌黄色の黄葉で彩る「森の女王」。森の景観、水源涵養林、野生動物保護、土砂崩れ・地球温暖化防止、魚付林等の価値が見直され、伐採が抑えられている。屋久島とともに我が国初の世界自然遺産となった白神山地の山毛欅林が有名だが、三ヘクタール、約三千本の松之山の樹齢九十年の美人林《びじんばやし》の山毛欅は、四季を通じ息を呑む美しさで知られる。

万緑を顧みるべし山毛欅峠　**石田波郷**
郭公や山毛欅せめぐ霧音もなし　**藤田湘子**
ぶな坂に逢うてつゆけし林務官　**桂　樟蹊子**
太古よりの山毛欅の若水汲みにけり　**阿部風々子**
大瑠璃や山毛欅に倒るる山毛欅の影　**根岸善雄**
山毛欅の生む一滴の水春の鹿　**広渡敬雄**

山毛欅を代表する句で、見渡す限りの青々とした山毛欅林に波郷の心の高揚も感じられる（波郷）、山毛欅林に音もなく立ち込める霧、郭公の声がより寂しさを募らせる（湘子）、

森の女王・緑のダム

営林署員の地道な森林保護に感謝の念が漂う（樟蹊子）、山毛欅林は貯水力が強く「緑のダム」と言われ、透明、無垢の美味しい水が少しずつ湧き出す。その水を父祖代々から若水とする（風々子）、山毛欅は二百年程度で枯れ、新たな山毛欅が生育する。その森に鶯、駒鳥とともに声の美しさで三鳴鳥とされる大瑠璃が、夏に南より渡来し、営巣する（善雄）。

「日本の里百選」の松之山（十日町市）は、新潟県中南部にあり、「狐塚の棚田」を始め「耕し

▼山毛欅の実（左）と若葉

▲残雪の山毛欅の新緑（美人林）（写真提供：一般社団法人 十日町市観光協会）

て天に至る」と形容される美しい棚田が多い。殊に星峠からの棚田の風景は、人工物のない圧倒的なスケールで、日本一の折り紙付きである。日本三大薬湯の松之山温泉は開湯七百年を誇り、小説家坂口安吾が叔母・姉が嫁いだためよく通った松之山随一の旧家村山家の旧邸と庭園が大棟山《だいとうざん》美術博物館となっている。また、前年に結婚した初婿を薬師堂境内から五メートル下の雪に投げ下ろす小正月の奇祭「婿投げ」でも知られる。

雪卸す屋根の下より機音覚む　加藤知世子
湯の町は端より暮るる鳳仙花　川崎展宏
聟投げへすぐ追討ちの雪つぶて　飯塚田鶴子
青天の緩びてゐたり雪晒　若井新一
水張られ辛夷の映る棚田かな　宮沢房良

十日町絣の産の当地は日本有数の豪雪地帯。屋根の雪卸しの家から機音が聞こえる（知世子）、松之山温泉の静かな佇まいと鳳仙花が印象的（展宏）、迫真の婿投げの様子が活写されている（田鶴子）。ユネスコ無形文化遺産で国指定重要無形文化財の越後上布。織り上げた布を漂白する為に雪原に広げる雪晒は、少し春めく寒晴の中に行われる（新一）。雪解水を張った棚田に眩しい辛夷が映り、越後もいよいよ春本番を迎える（房良）。

⑤楠（住吉大社）

西日本の神社の定番

楠は関東地方南部以西に自生し、直径八メートル、樹高五十メートルの巨木もあり、神木となっている樹も多い。常緑広葉樹で、若葉は最初は赤っぽいが、薄緑色で眩いばかりに萌えあがり、その引き換えに古い葉が散る。中国名は樟。葉を切ると樟脳の匂いが芳しい。

楠の冷八十八夜足袋をはく　森　澄雄
楠の実の黒涙を踏む爆心地　三嶋隆英
武者人形楠は葉叢を盛り上げて　池上樵人
大楠に臍あり乳あり冬日燦　津川絵理子
恋猫の楠にのぼりてより知らず　寺島ただし
手をつなぎ測る大楠成人祭　内田　茂
樟若葉大きな雨の木となりぬ　森賀まり

八十八夜の冷えを纏った楠若葉の樹を見ながら、真っ新な足袋を履く（澄雄）、広島県三原市出身の医師俳人、広島の爆心地近くで被爆したものの再生した楠、その黒く熟した実を踏んで靴を汚し、被爆地の悲しみとともに楠の健やかさを詠う（隆英）。端午の節句、楠若葉が男子の健やかな成育を祈る（樵人）、楠大樹は樹皮が爛れて、大公孫樹同様にまるで臍や乳房のように変形した箇所もあるが、穏やかな冬の日差しの中、安らかな楠の晩年とも見える（絵理子）、恋猫は楠の樹にも駆け上るほど凄まじい（ただし）、成人式での若者たちは未来を見据え連帯を誓う（茂）、眩い若葉の樟大樹を雨がさらに輝かせ美しい（まり）。

住吉大社は、神功皇后の新羅遠征神話を起源とし、海の神に加え農耕治水の神として知られ、正月の初詣は全国屈指の人出を誇る。川端康成の文学碑のある反橋（太鼓橋）を過ぎて四天王寺、厳島神社とともに三大石舞台の一つがあり、国宝の本殿四棟の奥に神木（夫婦楠千年楠）が神々しい。貞享元（一六八四）年、この社頭での井原西鶴の一

▼楠の葉

▲住吉大社の楠（写真提供：内田茂氏）

昼夜二三五〇〇句の独吟で知られ、真っ黒な牛、艶やかな植え女の御田植神事（六月十四日奉納）も名高い。

住吉の凧揚げゐたる処女はも　山口誓子
蟻蠓に二万三千五百句無し　鈴木六林男
住吉の千木《ちぎ》の奢りし晩夏かな　宮坂静生
踏んばれる牛を御田に曳き入れる　塩川雄三
大漁旗掲げてゐたる破魔矢売　浅井陽子
反りをゆるめず炎天の太鼓橋　田中春生
初風の住吉さんの御田かな　広渡敬雄

万葉調でかつての万葉の乙女を彷彿させる（誓子）、談林派の俳諧師で「二万翁」と自称した西鶴の一昼夜に詠んだ句数（矢数俳諧）には、視界が遮られるほど群がる蟻蠓でも数は及ばない（六林男）、残暑厳しい中、国宝の社殿屋上の千木はたじろぎもせず立派である（静生）、御田祭の主役の牛を何とか御田に曳き入れようとするたび観客から歓声が上がる（雄三）、海の神であるゆえ、破魔矢売りも神社に敬意を払う（陽子）、大社の入口にある反橋は、炎天下でも微動だにせず存在感を示す（春生）、華やかな御田祭で植えられた苗は、初風のころ稲の花が咲き、稲穂が実り始める（敬雄）。

東京都水道水源林

⑥水楢（奥多摩町・丹波山村）

水楢は、ブナ科コナラ属の落葉広葉樹。ブナ同様に温帯落葉樹林の代表的な樹木で、日本全土の山地に自生し、椎茸栽培の原木、高級家具材、洋酒樽等に利用される。特に国内産ウイスキーの熟成樽として、繊細な風味を醸造できるとして国際的評価が高い。実（団栗）は栗鼠や熊の好物であり、ブナの実同様、実りが少ない年は冬眠前の熊が里に下り、熊害が発生する。

▶水楢の幹

◀水楢の実

水楢の芽立ちはおそし峠茶屋　高木晴子
駒鳥鳴くや水楢林馬柵うちに　杉山岳陽
水楢の芽吹く青空農具市　伊藤京子
水楢の縞の動きて小啄木鳥《こげら》をり　堀口星眠
団栗の根付いてゐたる寒の土　中山世一

標高の高い水楢林の峠の春は遅い。若葉の後の青々とした夏は茶屋も賑わう（晴子）、水楢林では、駒鳥の美声が響く広大な牧場の夏（岳陽）。水楢が芽吹き農具市も賑わい、本格的な農作業が始まる（京子）、小啄木鳥は水楢の幹を回り、突いてその黒褐色の樹皮の内側の昆虫を採食する（星眠）、晩秋落ちた団栗は凍土にしっかりと根付き逞しい（世一）。

東京都の水道水源林は、東京都奥多摩町から山梨県丹波山村・小菅村の標高五百から二一〇〇メートル（過半は一二〇〇メートル以上の高地）の二三〇〇〇ヘクタールの広大な山域に広がり、ブナ、水楢、栗の天然林と杉、檜、カラマツの人工林から成る。明治三十四（一九〇一）年に譲り受けた御料林を基に始まり、同四十二年、当時の東京市長尾崎行雄が踏破調査し、多摩川上流の保存を決定した「水源調査記念碑」がある。

全長一三八キロの多摩川の源流地点、水干《みずひ》は、笠取山（一九五三メートル）直下にあり、石碑が設置されている。多摩川を堰き止めて昭和三十二年に完成した小河内貯水池（奥多摩湖）により、旧小河内村、丹波山村鴨沢の集落が湖底に沈み、湖畔に殉職者の慰霊碑や展望塔がある。

かつては、炭焼き、林業、旧青梅街道の馬宿で栄えた奥多摩町には橡、檜、アララギ、水楢、樫等の日本屈指の巨樹があり、日原森林館でその魅力を伝える。東京都最高峰で日本百名山の雲取山（二〇一七メートル）から西の飛龍山、笠取山までは、週末はハイカーが多く、また稜線に沿う水源林巡視路で、絶えず森林管理（植栽・間伐・土壌補強・鹿侵入防止柵等）を行っている。

黄塵や青梅街道野にいでて　水原秋櫻子
山上に霧の町あり御師ら棲む（御岳山）　岡田日郎
時雨傘さしもあへずにダムの悲話　中村汀女
雲取へ雷去りし夜の荒太鼓　能村登四郎
みづならは綿虫の来る淋しい木（水干）　広渡敬雄

奥多摩の青梅街道は渓谷を縫う道だが、平坦な野原を通る時は、春の強風に煽られた関東ローム層の砂埃が舞う（秋櫻子）、奥多摩口の山岳信仰御岳山には、江戸初期に修験者によって作られた御師（参拝者の案内・宿泊）集落がある（日郎）、傘をさす間もないほどの時雨の中、小河内ダム建設で沈んだ村の悲話をしんみりと聞く（汀女）、雲取山の方へ雷も去った夜、五穀豊穣を祈禱し乱打する奥多摩の獅子舞踊りの太鼓が勇ましい（登四郎）、葉を落とした水楢に綿虫が来る頃、奥多摩の山々にもそろそろ初雪が降り始める（敬雄）。

▲飛龍山・サオラ峠（1300メートル）

⑦落葉松《からまつ》（旧軽井沢）

日本の針葉樹で唯一、落葉性の黄葉の皇帝

落葉松は日本固有種のマツ科の落葉針葉樹で中部・関東以北、北海道の日当りの良い深山に生育し、枝は水平に張り出す。針形の葉が五月頃に青々と芽吹き、雄花・雌花が咲く。秋には輝くばかりの黄色に色付いて山を見事に染め上げ、「黄葉の皇帝」と称される。

落葉は絨毯のように地に敷き詰められ足に優しい。樹高は二十メートル以上となり、成長が早いため、浅間山麓の天然落葉松が長野県・北海道等各地で大規模に植林されて来た。

芽からまつ高原の日は雫なす　佐藤美恵子
落葉松の小花つらなり枝撓ふ　岡田日郎
水平な風がからまつ若葉過ぐ　河内静魚
からまつを夜露の音の伝ふなり　石田勝彦
からまつ散るこんじきといふ冷たさに　鷲谷七菜子
落葉松の千手広げて雪を待つ　高野ムツオ
落葉松はいつめざめても雪降りをり　加藤楸邨

芽からまつに差す高原の日を雫と描く（美恵子）、花をびっしりつけた枝の生態を活写（日郎）、その水平な枝ぶりの若葉を奏でる風も水平とは詩的（静魚）、細い針状の葉と枝を伝う夜露の音を繊細に捉える（勝彦）、散る落葉松の葉に金色の冷たさを秘めるとの美的な把握（七菜子）、葉を落とし、水平に広がった枝に忍び寄る雪催（ムツオ）、雪が降りしきる落葉松林の無音界に何度も目覚めを繰り返すが、落葉松は作者自身でもあり、その寂しさは後述の北原白秋の寂しさとも通じるものがある（楸邨）。

中山道の宿場町として栄えた軽井沢は、信越本線開通で衰退したものの、外国人がさきがけて避暑のために別荘を建て、日本の富裕層がそれに倣い、日本を代表する避暑地となった。

殊に旧軽井沢は、

▼落葉松の黄葉

▲落葉松の並木路（写真提供：株式会社 ホテル鹿島ノ森）

落葉松林の中に教会、ホテル、別荘が点在する。

からまつの林を過ぎて　からまつをしみじみと見き
からまつはさびしかりけり　たびゆくはさびしかりけり

北原白秋は大正十（一九二一）年の初夏に訪れて、その林の中の道を歩いて、詩の構想を得て、八章からなる有名な叙情詩「落葉松」を発表した。

雨蛙鶴溜駅降り出すか　石田波郷
辰雄忌の郭公身近にて鳴けり　山崎ひさを
栗の毬礼拝堂の屋根を打つ　深谷雄大
（ショー記念礼拝堂）
緑さす神父の低きマタイ伝　広渡敬雄

旧軽井沢の三笠通りは、両側が落葉松並木の「新日本街路樹百景」。かつて草津温泉と軽井沢を結んだ草軽電鉄の軌道跡で、鶴溜《つるだまり》駅は旧軽井沢・三笠の次の駅である（波郷）、当地を愛し、追分に家を建て、四十八歳で逝去した作家堀辰雄の命日は五月二十八日（ひさを）、ショー記念礼拝堂は当地最古の教会で、明治二十八（一八九五）年の建物である（雄大）、若い二人の憧れの軽井沢高原の教会での結婚式。初夏の木漏れ日が降り注ぐ（敬雄）。

⑧檜（木曾赤沢自然休養林）

伊勢神宮・式年遷宮の神木

檜は福島県以南の日本と台湾にのみ分布する。雌雄同株で樹高は三十メートルにも達し、日本では、建材として最高品種とされ、赤褐色の樹皮は檜皮葺に使われる。

世界最古の木造建築・法隆寺は檜、伊勢神宮の二十年に一度の式年遷宮では、木曾の山を御杣山《みそまやま》として切り出している。上松町の「赤沢自然休養林」の木曾檜は、永年尾張藩の「ヒノキ一本首ひとつ」の手厚い保護に拠り、青森ヒバ、秋田杉とともに日本三大自然美林である。最盛期の昭和三十年代には、木曾全域を五十七線、四二八キロメートルの森林鉄道が巡り、現在はボールドウィン製の蒸気機関車が保存されディーゼル車が走り、「森林浴の発祥地」の魅力を伝える。静かな鼓動のように発する檜の樹木物質や微かな香りが漂い、セラピー効果が高く、年間十万人のハイカーが訪ねる。

眠りゐる檜山は餘木あらしめず　松本たかし
雲浮ぶ夏の日淡し檜の中　富安風生
檜苗銀河を父として育つ　橋本鶏二
鳥威し山に檜が枯れしまま　飯田龍太
夕ざくら檜の香して風呂沸きぬ　大野林火

▼檜の実

昭和二十八年赤沢渓谷を訪ねた折の作品。真冬の檜林、戦後復興で旺盛な材木需要で伐採され加工された檜材は、森林

鉄道を使って運ばれていた。駅頭にその句碑があり、下五のきっぱりとした断定に檜林の威厳さえ感じさせる（たかし）。香しい檜林の樹間より雲を浮かべた淡い夏空を詠んだもの。木曾谷を感じさせるがまだ渓谷の雪渓は眩い（風生）、苗床で育てた檜苗を地拵えした山の斜面に植林する。生育し、伐採するのは孫以降の世代か。「銀河を父として育つ」との詩的な賛歌、苗の成長を悠久の銀河がずっと見守り続けることだろう（鶏二）、間伐せずに、太陽の光が当たらずに檜が下方から枯れている状態か（龍太）、日が落ちないうちの春の檜風呂の至福を詠んだもの（林火）。

◀木曾赤沢の檜林
（写真提供：一般社団法人 上松町観光協会）

送られつ送りつ果ては木曾の秋　松尾芭蕉
木曾のなあ木曾の炭馬並び糞る　金子兜太
露の捲く一樹は椹木曾路ゆく　井沢正江
苧環や木曾路は水の音の中　蟇目良雨
木曾の子の言葉きらきら水眼鏡　広渡敬雄
すぐ氷る木賊の前のうすき水　宇佐美魚目

文豪島崎藤村の『夜明け前』でも名高い中仙道の十一宿がある木曾路。奈良井、妻籠には昔日の面影がそのまま残る。芭蕉は、姨捨山の秋の月を見んと美濃の門弟に送られて旅立った（芭蕉『更科紀行』）、御嶽山裾野の旧開田村はかつて木曾馬の生産が盛ん（兜太）、椹《さわら》は檜科の樹木で、木曾五木（檜、椹、鼠子《ねずこ》、翌檜《あすなろ》、高野槙《こうやまき》）の一つでもある（正江）、奈良井宿、藪原宿の間の鳥居峠は日本大分水嶺に当り、以北は犀川（信濃川）となり日本海に、以南は木曾川となり太平洋に流れる。旅人はその街道を終始川に沿って歩く（良雨）、海が遠い木曾谷の子、「寝覚の床」他至るところで水遊びの歓声が響く（敬雄）、毎冬通った木曾上松の灰沢鉱泉での句、森澄雄・大串章の名吟も生まれた伝説の宿の木賊（魚目）。

⑨ポプラ（北海道大学）

颯爽と美しい樹形

ポプラは日本ではヤマナラシ、ドロノキ、チョウセンヤマナラシの三種が自生するが、一般には明治期に移入された外来種をポプラと言う。学名には「震える」との意味があり、僅かな風で葉がざわめくことから命名された。落葉広葉樹で樹高は二十メートル超、街路樹、防風林、牧場の境界の目印に植えられるが、病虫や台風に弱く大規模植林には適さない。

春、花が咲き終えると大量の綿毛が付いた種子が、風に飛ばされて地面が真っ白になる。北海道大学の有名な三百メートルのポプラ並木は明治三十六年に植えられた古木で、平成十六年の台風で五十一本中二十七本が倒壊したが、再生が進められて蘇りつつある。

誰も来て仰ぐポプラぞ夏の雲　水原秋櫻子
アイスクリームおいしくポプラうつくしく　京極杞陽
積乱雲つねに淋しきポプラあり　金子兜太
退屈な原野を佇ちつくすポプラ　櫂　未知子
ポプラの絮転がつてくる曝書かな　陽　美保子
空かたき十一月のポプラ見よ　広渡敬雄

涼風にさやめくポプラの美しい樹形は万人に愛でられ（秋櫻子）、美味しい、美しいという言葉が違和感なく納得させられるのも北海道の夏ならでは（杞陽）、積乱雲の躍動感に対し孤高のポプラの淋しさ（兜太）、北海道出身の作者の原風景、ポプラへの畏敬がある（未知子）、曝書にポプラの絮とは！　永年札幌に暮らす作者の実体験の句で、やはりポプラは北海道に似合う樹木である（美保子）、葉を落としたポプラは初冬の空に夏にも増して存在感を示す（敬雄）。

北大は、クラーク博士を教頭に迎え、札幌農学校として一八七六年開校。一九〇七年東北帝国大学農科大学、一九一八年北海道帝国大学となり、戦後、北海道大学となった。クラーク博士の「Boys, be ambitious.」は

▼北大平成ポプラ並木（写真提供：陽 美保子氏）

◀北大ポプラ並木（写真提供：陽　美保子氏）

現在でもフロンティア精神の学風として受け継がれている。一七七万平方メートルの広大な敷地は、「エルムの杜」とも称され、構内の恵迪《けいてき》寮寮歌「都ぞ弥生」は旧制一高「嗚呼玉杯」、旧制三高「逍遥の歌」とともに三大寮歌である。

札幌農学校に学び、校歌を作詞し、農科大学の教員になった有島武郎は、妻の結核発病で札幌から神奈川県に転居、その闘病と死を題材にした小説「小さき者へ」で本格的作家となり、北海道文学の父とも言われる。旧有島農場（ニセコ町）が有島記念館となっている。

研究は涼し髑髏に埋もれて　**富安風生**

鰯雲ポプラ並木より発せしか　**大野林火**

青春かく涼しかりしか楡大樹　**鍵和田秞子**

聖蹟と彫られて秋の石の貌　**吉田千嘉子**

札幌の匂ひとリラに頰寄せし　**北　光星**

医学部を訪ねた折の作（風生）、北大のポプラ並木を前に、秋が早い札幌の広大で爽快な空を詠う（林火）、構内の美しい楡の大樹を見上げ、クラーク博士を慕う若き学徒の真摯な進取の志を偲ぶ（秞子）、クラーク像を外れその交差点の向い角、地質学的に貴重な日高産柘榴石の聖蹟碑への俳人らしい視点が冴える（千嘉子）、札幌の初夏の訪れを告げるライラックまつりも賑わう（光星）。

高原の〈白い貴公子〉

⑩白樺（南佐久・八千穂高原）

白樺（シラカンバ、別名シラカバ）は、カバノキ科の落葉広葉樹で、岐阜県以北の高原や北海道に多い。明るく日当たりの良い場所を好み、成長が早いため裸地の先駆樹種と呼ばれるが、一代で朽ち次の世代の養分となる。外皮は黄色を帯びた白色で光沢があり、薄く紙状に剝がれる。樹高は約二十メートルで、初夏の新緑に加え秋は黄色に色付き、白い樹皮との対照が美しい。材質が軟らかく、用途はアイスクリームのスプーンや楊枝に限られる。八千穂高原は約二百ヘクタールの敷地に五十万本が群生し、日本一美しい白樺林である。また北海道美瑛町の白樺街道も名高いが、風媒花で近年花粉症の原因になっている。アイヌ民族はスプーンの材として用いた他、野営の際に幹に傷を付け樹液を飲料水とした。

白樺を幽かに霧のゆく音か　水原秋櫻子
熊送りすみし白樺の杭二本　西本一都
耳聡き犬に白樺の花散るも　堀口星眠
白樺に火巻きのぼれる蔦紅葉　岡田日郎
白樺に彫りし名新た避暑期来る　橋本榮治
白樺や雪解の水を吸ふ音す　広渡敬雄

白樺林のやや黄色く色づいた葉を幽かに騒がせて霧が過ぎてゆく（秋櫻子）、杭に繋いだ羆を儀式後屠殺して祀るイヨマンテの祭場の杭が切ない（一都）、白樺の黄金色の垂れた雄花序から花粉が飛び散る音に犬が耳を敧たせる（星眠）、白い樹皮に絡みつく蔦紅葉との色の対照が鮮明（日郎）、避暑地の白樺に新たに恋する人の名を彫る青春性（榮治）、幹に耳を当てると確かに雪解水を吸い上げる音がする。この樹液は美味であろう（敬雄）。

　佐久穂町は小諸と小淵沢を結ぶ小海線沿線にあり、同線沿いを千曲川が流れ、南西に八ヶ岳連峰が聳える。千昌夫が歌い、日本のみならず世界十五億人の愛唱歌となった「白樺…」が出だしの「北国の春」の作詞者いではくは当地近隣の

▼秋の白樺群生地

◀南佐久の白樺林（写真提供：佐久穂町商工観光課）

南牧出身。八千穂高原の白樺を念頭に置いて作詞したと言われる。初夏、新緑の白樺を様々な色の躑躅が染め上げ、秋は一面の黄葉が素晴らしい。高原の頂上部の標高二一〇〇メートルの白駒の池は、コメツガ、シラビソの原生林の中にあり神秘的な湖として知られる。

戦災疎開した奥村土牛画伯を支援した黒澤酒造は、白樺樹液を採取したシロップ風の微かな甘みある飲料水や化粧水を売り出し、近くに「奥村土牛記念美術館」も開設されている。

剪定の八方山に囲まれて　青柳志解樹
万緑を割つていきなり小海線　仲　寒蟬
落葉してむらさきふかき佐久の鯉　篠田悌二郎
山虻や白駒池の夕あかり　雨宮抱星

佐久穂町生れで草木・園芸に詳しく原風景を詠う（志解樹）、佐久市在、「いきなり」の措辞が高原を疾走する小海線を活写する（寒蟬）、全国ブランドの佐久鯉を中七で称える（悌二郎）。

▲白樺の葉

⑪銀杏（神宮外苑）

生きた化石、都心の風物詩

銀杏は、イチョウ科の雌雄異株の裸子植物で「生きている化石」と称される。イチョウ科植物は中生代から新生代に世界的に繁茂したものの氷河期にほぼ絶滅したが、今生きているのは唯一現存する種である。樹高は約四十メートル、直径が五メートルを超える大樹もあり、葉は扇形、灰色の樹皮には円錐形の突起（気根）が垂れ、乳イチョウと呼ばれ安産・子育ての信仰の対象（鬼子母神）ともなる。実は銀杏《ぎんなん》で独特の臭気があるが美味である。風媒花で、初夏の新緑に加え秋は黄色に色付き、その散る様は美しい。

殊に神宮外苑、大阪御堂筋の街路樹や東大構内・安田講堂前の並木は有名である。

銀杏にちりぢりの空暮れにけり　芝　不器男
空かけて公暁が銀杏芽吹きたり　石塚友二
銀杏散るまつたゞ中に法科あり　山口青邨
銀杏ちる兄が駈ければ妹も　安住　敦
花の如く銀杏落葉を集め持ち　波多野爽波

明るい空一杯に散りゆく銀杏に釣瓶落としの夕暮れが迫る（不器男）、その蔭より公暁が鎌倉幕府三代将軍源実朝を暗殺した鶴岡八幡宮の大銀杏。先年の台風で倒伏しその根から新しい株が育っている（友二）、長く東大教授を務め、日本の政財官界の人材を輩出する東大法学部を詠う（青邨）、妹とともに過ごした少年期を回想（敦）、掌に集めて持つ銀杏落葉を花のようとは！　直観的な写生の作者らしい視点（爽波）。

青山練兵場跡地に大正十五（一九二六）年に完成した、明治天皇の生涯の事績を描いた壁画を展示する白亜の「聖徳記念絵画館」。それを正面に望む四季折々に若葉青葉黄葉裸木の美しい銀杏並木は、造園界の泰斗折下吉延博士が作りあげたが、世界に誇りうる人

▼公孫樹の葉

▲神宮外苑・聖徳記念絵画館前の銀杏並木（写真提供：野島正則氏）

工造形美の景観として、「新東京百景」ともなっている。三百メートルのアプローチに一四六本の銀杏並木は雄株四十四株、雌株一〇二株。青山通りから絵画館を一メートル低くし、遠近法で建物を遠く立体的に見せその価値を高めている。明治天皇御観兵碑のある外苑では、二度目の東京五輪会場の新国立競技場が建設された。神宮球場、秩父宮ラグビー場、明治記念館（帝国憲法草案審議の旧憲政記念館）があり、東宮御所も隣接し、また青山墓地も近い。

降る雪や明治は遠くなりにけり　中村草田男
青山の墓地の空なる花火かな　京極杞陽
枯芝をいたはり歩く祝意こめ　古舘曹人
観兵碑へ雀隠れを踏みてゆく　広渡敬雄
参道を外れぬ限り木の葉浴ぶ　百瀬美津

青南小学校に明治末頃在学し、二十年ぶりに通りかかった母校で雪の中の学童を見ての句で草田男の代表句とされ、その前庭内に句碑がある（草田男）、広大な青山霊園の上空の花火に関東大震災で家族の殆どを亡くした杞陽の虚無感も去来したのかも（杞陽）、現在は結婚式場となっている明治記念館のルーツを偲びつつ挙式を祝す（曹人）、銀杏並木の賑わいとは裏腹に、御観兵碑を訪ねる人はまばらである（敬雄）、表参道を歩みゆく穏やかな初冬のひととき（美津）。

⑫松（草加松原）

瑞々しい日本の代表的樹木

松はマツ科の常緑高木で、日本では赤松、黒松が広く分布している。他に五葉松、這松があるが、トドマツ（モミ属）、エゾマツ（トウヒ属）、カラマツ（カラマツ属）は別属。

不老長寿の象徴として竹梅とともにめでたい樹とされ、門松・鳥総松（新年）、松の花・松の芯（晩春）、松落葉（夏）、松手入（晩秋）、松迎（冬）と四季にわたり日本の暮しと密接に関連している。盆栽や雪吊・菰巻に加え、京都五山の送火には松の薪が使われ、松茸、松露《しょうろ》等の茸とも共生する。一般的に建築材となるが、松くい虫に弱く広範囲に枯死する。

長谷川等伯の「松林図屏風」は近世水墨画の最高傑作と言われ、狩野派の数々の松の襖絵も名高い。また全国津々浦々の羽衣伝説や相生の松にて夫婦愛を祝う謡曲「高砂」、さらに東海道（三河・御油宿）、中山道（信州芦田宿・笠取峠）の松並木、美保の松原、天橋立等全国の海岸を彩る白砂青松も美しい。津波で全滅した陸前高田松原の一本松も気高い。

初日さす松はむさし野にのこる松　水原秋櫻子

秋の蟬松根に斧入れしまゝ　川崎展宏

志松にもありて松の芯　鷹羽狩行

松幽く虹の控へ処いづこなる　中原道夫

松飾松は山よりたまはりぬ　小澤　實

高雅な日本画的な世界で武蔵野の初日差す松を詠う（秋櫻子）、戦時中、航空機燃料用の松脂採取のために打ち込んだ斧跡が残る（展宏）、蠟燭のように直立した若緑は壮観で、松の志を見る思いがする（狩行）、暗い松林に虹の根が懸かる（道夫）、松飾用の松を山に取りに行く松迎の厳かさ（實）。

草加は江戸時代の日光街道の宿場町。綾瀬川の舟運でも栄え、広重の「日光道中草加宿」の浮世絵にも描かれている。国指定名勝で「日本

▼クロマツの葉

◀草加松並木（写真協力：草加市役所文化観光課）

の道百選・草加松原」の一・五キロメートルの松並木は寛永七（一六三〇）年の綾瀬川改修時に植えられ、戦後に排気ガスで枯死が増えたが、保存運動で現在六三四本までに回復した（江戸時代からの古木六十本）。

松尾芭蕉は、『奥の細道』の冒頭近くに「もし生きて帰らばと、定めなき頼みの末をかけ、その日やうやう草加といふ宿にたどり着きにけり」と記しており、それに因み並木道に「松尾芭蕉翁像」「百代橋」「矢立橋」がある。皮革、ゆかた染めとともに「草加煎餅」が名高い。

巡礼や草加あたりを帰る雁　高濱虚子

煎餅の香に冬ざるる街行けば　角川源義

子雀や草加の町の昼静　吉田冬葉

涼風や芭蕉翁とて四十六　広渡敬雄

関東八十八ヶ所霊場巡りの人たちの頭上を帰雁の列が伸びてゆく（虚子）、蕭然とした街のなかで煎餅を焼く匂いが広がり旅情を深める（源義）、草加の家並みの至る所で子雀が騒ぐ以外は静かな昼下がりである（冬葉）、「人生五十年」の往時では、四十六歳の芭蕉も翁。ただしその健脚ぶりは想像を絶する（敬雄）。

⑬竹（京都・乙訓郡大山崎町）

用途さまざま、身近な被子植物（単子葉類）

竹はイネ科タケ亜科のうち茎（稈《かん》）が木質化する種の総称で、筍が成長後に皮が直ぐ落ちるのが竹、長く残り稈を包むのを笹と呼び、真竹、孟宗竹、根曲り竹（チシマザサ）、熊笹等種類が多い。伐採後乾燥させた竹は強靱で細工が容易く弾力性に富み用途は多い。

笊・籠・花入、箸・焼き鳥の串、団扇、簾、釣り竿、耳掻き等の日用品や茶道具、竹細工、竹人形、竹垣、犬矢来、竹刀、竹炭等々。食材として筍、支那竹。ジャイアントパンダの主食でもある。松竹梅で縁起ものとされ、門松、地鎮祭の斎竹にも用いられ、「竹取物語（かぐや姫）」や「舌切り雀」の民話もあり、極めて身近な樹木である。

わが柩春の真竹で作るべし　大木あまり
涼しさや竹山を買ふ話など　今井杏太郎
竹植ゑてそれは綺麗に歩いて行く　飯島晴子
竹を伐る音いま竹を離れたる　後藤比奈夫
魚そよぐやうに竹の葉降りきたり　対中いずみ

柩を青々と匂う真竹で作るとは、作者らしい美意識（あまり）、つぶやき俳句の作者、爽やかな風が吹き抜ける竹山が眼前に浮かぶ（杏太郎）、梅雨晴の陰暦五月十三日が竹の移植に最適と言われるが、植えられて瑞々しい竹のように庭師の颯爽とした歩きぶりである（晴子）、ターンターンと響く竹伐りの音が静まった一瞬、竹がばさっと倒れる（比奈夫）、作者がリスペクトする琵琶湖の魚のようにしなやかに竹の葉が散る（いずみ）。

大山崎町は隣接する大阪府島本町とともに桂川・宇治川・木津川が合流して淀川になる古くからの交通の要衝地、後鳥羽上皇の水無瀬宮の名水「離宮の水」、製油発祥地胡麻座で知られる。豊臣秀吉と明智光秀の「山崎の合戦」の天王山や千利休が辿り着いた空間宇宙の国宝、茶室「待庵」も名高く、江戸時代は三十石舟が

▼竹林

上下し賑わった。幕末の禁門の変、鳥羽伏見の戦いで罹災したが、大正時代末には寿屋（現サントリー）の日本初のウイスキー蒸留所もできた。筍の産地として著名で美しい竹林が広がり、最高級「白子《しろこ》」は絶品である。

うずききてねぶとに鳴や郭公　山崎宗鑑
（古来和歌では郭公＝ホトトギス）

エヂソンの竹なる竹を伐りにけり　田中裕明

◀大山崎町の竹林

乙訓は竹の子どころ乞へば売り　嶋田峰生
玉虫とぶ三川の合ふ明るさに　大石悦子
天王山境としたる大夕立　下田育子
冬鵙や茶釜離るる湯気に影　広渡敬雄
葭地焼のあと天上の濁りかな　岡井省二

天王山登山口の句碑の句、卯月が来て声太にホトトギスが鳴いているよとの意味と根太（腫瘍）が疼いて来て泣いているホトトギスとの裏意味もある（宗鑑・連歌師で俳諧の祖）、エジソンの白熱電球フィラメント用の輸出竹の産地・八幡市男山は淀川の対岸である（裕明）、乙訓の竹林では気軽に筍を分けて呉れる（峰生）、綿虫の飛ぶ天王山山麓の「三川合流展望台」は、初冬の広々として明るい三川が際立つ（悦子）、秀吉光秀軍の激闘を蘇らすような大夕立である（育子）、現在は茶会が行われていない茶室「待庵」の往時を偲ぶ（敬雄）、少し下流の鵜殿の蘆は、雅楽の篳篥《ひちりき》の材として永年御所に納められたが、その蘆焼は淀川の早春の風物詩である（省二）。

〈永遠の森〉を目指した人工林

⑭都心のオアシス（明治神宮の森）

明治神宮は、明治天皇・昭憲皇太后を祭神として大正九（一九二〇）年創建された。その境内を覆う東京ドーム十五個分の広大な森は、彦根藩下屋敷が維新後皇室ご料地となり、草原・畑であった場所に日本の「公園の父」本多静六博士他が、「永遠の森」を目指す壮大な計画のもと、全国からの献木と延べ十一万人の青年勤労奉仕で完成した。

植樹された十二万本は約一世紀を経て十七万本となり、武蔵野の自然林の様を呈し、樫・椎・楠等の照葉樹が主体の林相で、都心の貴重なオアシスとして内外の人が訪ねる。

樫はブナ科コナラ属の常緑高木で、日本の中部以南の温暖な山地に多い。同属で落葉樹は楢という。ともに堅果は団栗。樫にはアカガシ、シラカシ、ウラジロガシ等があり、雌の小花が密生し雄花が穂を垂らす。材は硬く器具材、船舶・車両材等にされる。

こがらしの樫をとらへしひびきかな　大野林火
むささびの来る樫の木や月夜の木　赤座閑山
樫落葉焚きて山姥めく日かな　馬場移公子
満月の闇分ちあふ椎と樫　永方裕子

◀アラカシ（明治神宮）

◀スダジイ（同上）

剃りてなほ明恵髭濃し樫若葉　小澤　實
かすかなる猫の足跡樫の花　角谷昌子

初冬、木枯しが樫の高枝に吹き荒れて音を響かせ、これから本格的な冬が到来する（林火）、月夜に巣から顔を出し樫の木間を滑空するむささび（閑山）、秩父の峡で生涯を忍ぶように過ごした俳人の矜持（移公子）、椎と樫は同じ林相で共生する。満月のもとの暗黒の樫と椎の森（裕子）、国宝明恵上人像の求道心高い座禅姿からさもありなんと思う。出身地紀州の樫若葉が眩しい（實）、樫の花穂の散った処を猫が

▲明治神宮の森展望（写真提供：倉田有希氏）

通った跡だろうか（昌子）。

明治神宮は、東京の最後で最大の鎮守の杜と言われ、初詣の参拝者は三百万人超と日本最多である。南参道の日本最大の檜の鳥居の先に本殿、神楽殿がある。御苑内には、茶室、南池、菖蒲田、清正井があり、四季折々の風情も良く、殊に八千輪の花菖蒲は壮観である。

木枯や明治神宮粛と森　松根東洋城
地の渾沌地の無明より泉沸く　岡田日郎
花菖蒲ゆらりと蝶を生みにけり　鍵和田秞子
鰹木のふとぶととある良夜かな　西嶋あさ子
あをぞらの届かぬところ凍りけり　髙田正子
団栗の溜まる窪みや冬旱　広渡敬雄

木枯の中でも神殿も深い森も粛とした雰囲気を保っている（東洋城）、加藤清正公縁の泉は渾沌として煩悩深い地に凛然と湧き、今やパワースポットとされる（日郎）、花菖蒲から飛び去った蝶をまるでそれが生み出したかのように捉えた華麗な詩的な発想である（秞子）、明治神宮の本殿の装飾木も、満月のもと太々と尊厳がある（あさ子）、温暖化の昨今とは言え、御苑の池も日陰は凍結する（正子）、落葉も森に戻し徹底して自然のままの杜、あちらこちらの窪みには団栗が溜まっている（敬雄）。

⑮馬酔木（京都府木津川市・浄瑠璃寺）

秋櫻子が愛でた早春を彩る花

馬酔木はつつじ科の常緑低木。艶のある葉が束生し、三月頃壺形の白い小花が総状に垂れ下がって咲く。花や葉茎に毒性があり牛馬が食うと麻痺する。葉の煎汁は殺虫剤、材は堅く薪炭や細工材となる。馬酔木境《ぎり》として畑の境に植えられ、土止め、風除け、輪地（害獣を防ぐための田畑の外囲い）に活用される。鹿も食べないため、奈良公園や周辺の寺社、「ささやきの小道」に多く繁茂する。

馬酔木咲く金堂の扉にわが触れぬ　水原秋櫻子
馬酔木野やかしこ法相ここ華厳　阿波野青畝
残る雪馬酔木のかげに退きぬ　富安風生
月よりもくらきともしび花馬酔木　山口青邨
馬酔木咲き森の奥まで透く夕日　根岸善雄
黄ばみたる封書一通馬酔木咲く　遠藤由樹子

主宰俳誌「破魔弓」から「馬酔木」への改題の謂れとも言われ、秋篠寺での作と伝わる（秋櫻子）、興福寺、東大寺と言わず詠い切る練達の句（青畝）、春浅い馬酔木の根元の残雪への視点（風生）、白い馬酔木の花よりも明るい春満月であろうか（青邨）、馬酔木の咲く早春、まだ森には芽吹きは少なく、春の夕日がその奥まで染み入る（善雄）、馬酔木の花の毒性がそこはかとなく句に漂い、遠い過去の封書への心の咎も少し感じられる（由樹子）。

木津川市は、行政的には京都府だが、地理的には奈良の平城京、東大寺から至近で、奈良時代半ば一時遷都の恭仁宮《くにのみや》跡や山城国分寺跡がある。茶の産地で上狛《かみこま》茶問屋街は風情に富み、旧加茂町の岩船寺から浄瑠璃寺への二キロの「当尾石仏の道」は、摩崖仏群が多い。

浄瑠璃寺は、宝池を中心にして東に薬師如来を祀る国宝三重塔、西に九体の阿弥陀如来を祀る平安後期様式で唯一現存する国宝九体阿弥陀堂があり、堀辰雄の名文「浄瑠璃寺の

▼馬酔木の花（浄瑠璃寺）

◀浄瑠璃寺の馬酔木（写真提供：木津川市観光商工課）

春」でも知られる。秋櫻子も昭和初期何度か通い、〈うつし世に浄土の椿咲くすがた〉（吉祥天女像）、〈金色の仏ぞおはす蕨かな〉（九品仏）と詠っている。

馬酔木より低き門なり浄瑠璃寺　水原秋櫻子
九体仏金色の冷えまさりけり　能村登四郎
九体仏金色壺焼芋もきん　川崎展宏
裏白のひと荷の婆や浄瑠璃寺　宮坂静生
薄氷や吉祥天の扉の開く　中谷まもる
うぐひすのこゑのしめりや浄瑠璃寺　藤田直子
睡蓮を揺らす波その返し波　広渡敬雄

「馬酔木」を代表する句と言われ、自ずから浄瑠璃寺門前が映像化される（秋櫻子）、金色の九品仏は凛とした寒さの中に気品を漂わせる（登四郎）、恐れ多くも九体仏と壺焼芋の割った断面の金を対比するとは展宏らしい俳諧味である（展宏）、正月用の裏白を近くの奈良市に売りに出かける老婆であろうか（静生）、酷寒の秘仏公開日、折しも宝池には薄氷が張っている（まもる）、極楽浄土を具現化する寺院、鶯の声にもうっとりさせられる（直子）、かつては宝池に繁茂し、現在は近隣の名刹岩船寺の池を彩る睡蓮も、神聖で雅びであり一見の値がある（敬雄）。

桃源郷と山廬（蛇笏・龍太邸）

⑯桃（山梨県笛吹市）

桃は、バラ科の落葉低木。古く中国から渡来した。桃の実は古代の中国、日本では長寿・不老不死を齎し、破邪の力を持つ神聖な果実とされた。『古事記』では、イザナギが桃の実を投げて黄泉の国の追手から逃げ延びた話があり、古墳時代の遺跡から大量の桃の種が出土したため「桃＝魔除け」思想があったとされる。鑑賞用の花に加え食用に品質改良された果実（白桃・黄桃等）は、山梨、福島、長野、岡山等が主産地である。四月が桃の花の盛りの甲府地域では、雛祭は月遅れの四月三日に行われる。

海女とても陸こそよけれ桃の花　高濱虚子
ふだん着でふだんの心桃の花　細見綾子
雪の降る山を見てゐる桃の花　福田甲子雄
去勢後の司馬遷のゐる桃林　能村登四郎
老人に大いなる関白《くわん》き桃　宇佐美魚目
白桃の皮引く指にやゝちから　川崎展宏
夕月や脈うつ桃をてのひらに　伊藤通明
桃の葉をかむりて紅き甲斐の桃　黒田杏子
桃を吸ふ嘘を吐くかもしれぬ口　柏柳明子

桃の花の咲く頃始まる海女仕事、まだまだ海水も冷たい（虚子）、艶やかな桃の花だが、普段通りの暮らしを良しとし誇りとする（綾子）、桃の花盛りの時期でも南アルプス等では雪が続く（甲子雄）、司馬遷の「物を書くことへの不屈な精神」への畏敬の念の中、桃林が眩しく美しい（登四郎）、〈中年や遠くみのれる夜の桃　西東三鬼〉と同様に老人へのエロスの甘い囁きのような白桃（魚目）、白桃の皮をゆっくり剝がす所作を活写（展宏）、抒情俳人の面目躍如たる句（通明）、桃の実から視点を外した句で、その葉が瑞々しい（杏子）、桃のもつ魔性のようなものがふとそう思わせるのだろうか（明子）。

笛吹市は山梨盆地の東寄りに位置し、桃、葡萄の収穫量はともに自治体では全国一で、「日本一

◀桃の実

▲山廬・後山の桃の花と南アルプス（写真提供：飯田秀實氏）

の桃源郷」と言われる。山廬（飯田蛇笏・龍太の邸宅）は、旧境川村小黒坂にあり、既に俳枕である。囲炉裏のある主屋や俳諧堂、手入れの良い赤松、裏の狐川を渡って桃畑が広がる後山があり、南アルプス、八ヶ岳、奥秩父、大菩薩嶺と甲府盆地の絶景が望める。

くろがねの秋の風鈴鳴りにけり　飯田蛇笏
一月の川一月の谷の中　飯田龍太
冬雲雀師も通ひたる校舎見ゆ　友岡子郷
春の雪墓所へ山廬へ道しるべ　雨宮更聞
開け放つ涼風に師の籠りをり　井上康明
炉の温み龍太の温み自在鉤　広渡敬雄

山廬の軒の風鈴、「くろがね」に厳とした存在感がある（蛇笏）、龍太の生涯と俳句観が凝縮された俳句史上の不朽の一句（龍太）、師が亡くなった後に訪ねた折の作、境川小学校の校舎を通して師への思いを新たにする（子郷）、蛇笏龍太二代の薫陶を受けた同じ集落の篆刻家で俳人、春の雪の中、今も蛇笏龍太と心はともにある（更聞）、「雲母」終刊後俳句発表を止めた師、その部屋に吹き込む爽快な涼風の中、師の存在がある（康明）、囲炉裏を切った龍太の書斎、炉には赤々と炭が熾って暖かく、龍太の手触りの温みのある自在鉤が印象的である（敬雄）。

⑰イチイ（位山、飛騨一宮水無神社）

最高質の笏・位山のイチイ

一位（アララギ、オンコ）はイチイ科の常緑高木で、ほぼ日本全土に自生し、雌雄異株、秋に赤い仮種皮が種子を覆い、甘くて食べられるが、種子には毒がある。庭木の他、木目が美しく次第に茶褐色の艶が出るので、一位一刀彫として高山祭の屋台彫刻等で「飛騨の匠」から珍重され、また一位笠も名高く岐阜県の県木である。古くから当地（位山）のイチイで作った笏が最高質とされ、歴代天皇即位の折の「笏」として「正一位」の最高の位を贈られた。天皇即位の際に「笏」が献上された平成も三十一年四月末で終り、五月一日から令和元年となった。斎藤茂吉等の近代歌壇を牽引した短歌誌「アララギ」も本木に由来する。

編みかさね秋意ましろき一位笠　能村登四郎
新藁の注連たかく張り一位彫る　吉澤卯一
たとえば一位の木のいちいとは風に揺られる　阿部完市
手にのせて火だねのごとし一位の実　飴山　實
老懶の胸を飾れり一位の実　飯島晴子
一位の実甘しマリアのふところは　角谷昌子
一位の実さらに小さき掌に渡す　広渡敬雄

一位で編んだ笠は檜笠とともに当地の工芸品、その白さに秋の風情がある（登四郎）、正月準備が済んだ年末ぎりぎりまで「飛騨の匠」は腕を競う（卯一）、意味性以前の言葉の無意味性までに遡り前衛的な文体を完成させた俳人の把握（完市）、一位の実を代表する句（實）、シニカルな視点の晴子ながら心の弾みが感じられる（晴子）、函館郊外トラピスチヌ修道院での作、マリアの懐に抱かれ恩寵のような一位の実は甘い（昌子）、赤く透き通る美しい一位の実を掌にした子は、幼な児の掌に宝石のような実を移して載せてあげる（敬雄）。

高山市は岐阜県北部の飛騨地方の中心都市。金森氏の城下町を経て

▼笏

▼一位の実

天領となり、陣屋が置かれた。ユネスコ無形文化遺産で豪華絢爛な日本三大祭「高山祭」で名高く、格子窓の古い町並や朝市には外国人観光客も多い。飛騨一宮水無神社は、位山（日本二百名山）をご神体山とする飛騨国の一之宮（鎮守）で朝廷からも崇敬篤い。島崎藤村の父正樹が宮司を務め、『夜明け前』にも登場し、江戸時代半ばの大原騒動（農民一揆）大集会地の碑がある。

▲宮の大イチイ（写真提供：高山市一之宮支所基盤振興課）

水瘦せて水無の神を畏れけり　前田普羅

連嶺は飛び立つ構へ春の霜（位山）　中坪達哉

飛騨に向ふ軒みな深し冬がまへ　室生犀星

水美し山都は川に緋鯉飼ふ　岡田日郎

首を振るからくり人形秋深し　田口一穂

秋簾水のやさしき町なりし　草間時彦

朝市に遅れ届ける篠子買ふ　福永耕二

大河神通川となり日本海に注ぐ宮川源流近くの水無大神であればこそ（普羅）、まだ春霜の位山展望所からの白銀の乗鞍連嶺、飛び立つ構えとは秀逸（達哉）、山国飛騨は大工・建築の高い技術を誇り家並も美しい（犀星）、清流宮川が流れる高山市は白山、北アルプスが近い山都（日郎）、秋祭のからくり奉納、精巧な人形の演技に見とれるが、山都の夜は冷える（一穂）、清流と秋簾が似合う古い落ち着いた町の佇まいが旅人を和ませる（時彦）、宮川沿いの朝市、朝取りの篠竹の小さな筍も絶品である（耕二）。

国境の島・対馬の絶滅危惧種

⑱ヒトツバタゴ（対馬）

ヒトツバタゴ（海照らし、なんじゃもんじゃ）はモクセイ科の大陸系落葉高木。対馬最北端の鰐浦に三千余本自生する天然記念物指定の珍木で、他は愛知県、岐阜県に僅かに自生。四月末～五月中旬、円錐花序に多数の純白の花を枝先に咲かせ、まるで新緑が冠雪したように美しく鮮やかである。神宮外苑の木は大正十三年に天然記念物指定を受けるも枯れ、現在、外苑・聖徳記念絵画館前に昭和九年に根接された二代目の木がある。また深大寺の木も知られる。

灘染むるひとつばたごや国の涯　犬東孤憧
ひとつばたご咲く浦潮の濃かりけり　石原八束
蜂洞《はちどう》やひとつばたごの吹雪く中　千々和恵美子
波打つてなんぢやもんぢやの花揺るる　三村純也
海照らし山照らし魂照らすなり　五島高資
身の透くやひとつばたごの香の中に　大川ゆかり

自生地鰐浦は、島の最北端で朝鮮通信使の最初の寄港地。丘に韓国展望台、沖の海栗島《うに》には、自衛隊のレーダー基地がある（孤憧）、鰐浦の群青色の潮に別名「海照らし」は白く映える（八束）、丸太材を刳り貫いた独特の蜂の巣箱（蜂洞）、雪のように散る花に蜂も忙しく飛び回る（恵美子）、朝鮮海峡の怒濤の波は、なんじゃもんじゃの花を揺らすほどである（純也）、咲き誇るヒトツバタゴは海を染め、繁茂する山も染め、自身の魂も清々しく染め照らす（高資）、対馬生れの作者、身も透けるほどの芳香の中の原風景である（ゆかり）。

▼ヒトツバタゴの花

対馬は、朝鮮海峡を隔てて韓国釜山港まで五十三キロ、北岸から朝鮮半島が望見される。古代から大陸と九州を結ぶ「海の道」の拠点で国防の要であり、大和朝廷時代の百済、新羅、唐との交流や争い、二度の蒙古襲来、豊臣秀吉の朝鮮出兵、対馬藩（宗家十万石）を通じた朝鮮通信使来訪（外交担当雨森芳洲等）が名高く、天然記念物ツシマヤマネコや鳥

◀ヒトツバタゴと韓国展望台
（写真提供：一般社団法人 対馬観光物産協会）

賊釣火、渡り鳥の休息地として知られる。皇居に贈られた苗木の成長を詠まれた昭和天皇御歌〈わが庭のひとつばたごを見つつ思ふ海のかなたの対馬の春を〉の碑が上対馬にある。

鰐浦は涯の道ゆゑひじき干す　阿波野青畝
葛を負ふ対州馬に合ひしのみ　向野楠葉
昨夜来し鶴翔つ日本晴れの海　（佐護平野）　古藤一杏子
韓見えて元寇跡の枯葎　文挟夫佐恵
石屋根の石の鎮もる鵙の声　（小茂田浜）　長嶺千晶
海神の幣替へゐたり陰祭　（和多都美神社）　広渡敬雄

朝鮮海峡に開かれた国境の集落・鰐浦の民の暮しぶりをさりげなく詠う（青畝）、島内診療に尽くした医師、人も車も通らぬ山道で葛を山のように負った小形の馬に合ったと自註にある（楠葉）、出水に飛来した鶴が、シベリアに帰る途中のつかの間の休息の後、快晴の中飛び立つ（一杏子）、圧倒的な敵軍に全滅した対馬兵を荒涼とした浜に偲ぶ（夫佐恵）、風が強く板状の石で屋根を葺いた伝統的建造物、秋を告げる鵙の声がする（千晶）、「海彦山彦」の神話で知られる神秘的な海宮、五つの鳥居のうち二つは海にある（敬雄）。

⑲チングルマ（北アルプス・薬師岳）

樹高十センチの可憐な高山植物

チングルマは、樹高十センチのバラ科の落葉小灌木。代表的な高山植物で夏にはお花畑で白色五弁花の大群生をなす。落花後結実してからも花柱が長く伸び、多数集まって毛髪状となり、稚児車に似ているのでこの名がついた。葉は鮮やかな紅葉となる。〈木にあれど草のあはれや木槿咲く　小川軽舟〉と違い、丈も低く見た感じは樹木でなく草本その物である。

ちんぐるま湿原登路失せやすし　水原秋櫻子
はるかなる径雲に入るちんぐるま　加藤楸邨
一花揺れ揺れの伝はりちんぐるま　岡田日郎
浄土原てふ山の背にちんぐるま　棚山波朗
ちんぐるま一日声に遇はざりき　猪俣千代子
チングルマ一岳霧に現れず　友岡子郷

木道が敷設されていない湿原は踏み荒らされ径も失せやすいが、稚児車は健気に岳人を迎える（秋櫻子）、遥か先の稜線に至る道はそのまま夏雲に吸い込まれそうだが、足元のお花畑の稚児車は愛らしい（楸邨）、群生する稚児車は、僅かな風にも揺らぎ、それに連動するかに辺り一面の花も揺らぐ（日郎）、立山室堂を囲む山の一つ、浄土山の尾根では、その地名から白く群生する稚児車がまるで彼の世のお花畑のようであり、それを啄む雷鳥がよく見られる（波朗）、人のまばらな高山。お花畑を巡る登山路では人にも遭わず、静寂が続く中、稚児車の群生が鮮明に際立つ。稚児車も作者に遭えて喜んでいるようだ（千代子）、敷いたように咲き広がるチングルマの果てに連峰、一峰だけは霧で姿を見せない（子郷）。

薬師岳は、北アルプスの南北の結び目にどかっと腰を据えた主要峰で、雄大・壮麗な山容の日本百名山であり、東側斜面標高二六〇〇～二七〇〇メートルの位置に並んだ日本屈指のカール（氷河が削り取った半円形の窪地：圏谷）は、国指定特別天然記念物である。信仰の山で、平家落人伝説の麓の有峰集落が山頂に薬師如来を祀っていたが、電源開発のダム建設で

▼薬師岳直下　薬師岳山荘付近

◀チングルマ　散花

離村した。また、昭和三十八年の三八《サンパチ》豪雪では、愛知大学山岳部十三名が大量遭難死し、山岳遭難では八甲田山遭難に次ぐ大惨事となった。薬師平には遭難碑と巨大なケルンがあり、通りがかった岳人が頭を垂れる。

深秋の瑠璃光まとふ薬師岳　大屋達治
山開き岳の薬師にひざまづく　山元重男
薬師岳秋気澄みゆく音ならむ　中坪達哉
嶺々の残雪見上げ有峰湖　宍戸一朗
雷鳥の潜る這松霧雫く　広渡敬雄

晩秋の澄み切った空に瑠璃色（紫色を帯びた紺色）をまとった荘厳な薬師岳、まさに薬師如来が瑠璃光如来と言われる由縁でもある（達治）、かつて、旧暦六月二十五日、有峰集落の十五歳以上五十歳迄の男子は、頂上の薬師如来に参り宝剣を奉納していたが、それも途絶え、その思いを込めて跪く（重男）、秋晴れの凜とした大気を肌に感じ、山黄葉・草紅葉を愛でつつ登頂すると大展望が広がり、能登半島が抱く富山湾も指呼の距離であるが、ほどなく初冠雪となる（達哉）、湖底に沈んだ有峰の人達もかつては四季にわたり仰いだことであろう（一朗）、霧の時によく見かける雷鳥。這松は、天敵鷹の襲来時の避難場所でもある（敬雄）。

⑳メタセコイア（湖西高島市・マキノ町）

樹高三十メートル超、四季美しい樹形

メタセコイア（曙杉）は、一九四五年に中国四川省で現生種が発見され「生ける化石」として有名になった。樹高三十メートルを超え、カラマツとともに針葉樹では稀な、落葉樹である。春の芽吹きの薄緑、夏の深緑、秋の赤褐色の紅葉、冬の裸木と四季にわたり見応えがある。日本には戦後米国から苗木が持ち込まれ、マキノ町の二・四キロの約五百本の並木道が壮観で名高い。新潟市北区の並木道や都内では水元公園、井の頭自然文化園、阿佐ヶ谷駅南口の大木が知られる。

拾ひけりメタセコイアの実らしきを　飯島晴子
春立つや曙杉の空のいろ　星野恒彦
枯色も華やぐメタセコイアかな　稲畑汀子
メタセコイア冬は全身神経図　安西　篤
けふ夏至のメタセコイアの樹影かな　川嶋一美
澎湃とメタセコイアの芽吹きかな　南うみを
廃校のメタセコイヤや秋の暮（奥利根湯ノ小屋温泉）　前北かおる

メタセコイアの実は倒卵形の毬果だが、あまりポピュラーでなく、疑い深い晴子らしい表情が面白い（晴子）、まだ芽吹いていない立春、巨樹に透き通る如月の青い空が眩しい（恒彦）、独特の赤褐色の紅葉は西洋的な色彩でもある（汀子）、凍てつく寒気の中、落葉した巨樹の枝々は、神経のように凛と意思を持つようだ（篤）、深緑のメタセコイアの樹影は、夏至の陽射しを受けて他を圧する存在感がある（一美）、葉を落とし切った巨木が一気に芽吹く様は、澎湃という措辞以外にはありえない（うみを）、利根川源流の日本百名山至仏山山麓の里、巨きなメタセコイアの鮮やかな紅葉が、いっそう廃

▼メタセコイア並木　紅葉

▼メタセコイアの幹と葉

◀メタセコイア並木（写真提供：高島市商工観光部　観光振興課）

校を切なくする（かおる）。

マキノ町は、湖西最北部にあり、春は海津大崎の桜や知内浜の稚鮎漁で賑わい、萱屋根の残る在原集落には伝業平の墓がある。メタセコイアの並木は「新・日本の街路樹百景」に選ばれ、見応えがある。隣の今津町には、箱館山スキー場、「琵琶湖周航の歌」資料館、竹生島航路、今津浜の松並木が名高く、高島市は、魞挿しによる氷魚漁が盛んである。

葉ざくらの海津大崎くぐり抜け　宇多喜代子
稚鮎汲み盥しばらく草の上　広渡敬雄
昔男ありけり雪の墓なりけり　大石悦子
扇状地月の琵琶湖へなだれ込む　尾池和夫
みづうみを眠らせておく白障子　西村和子
魞挿すを水の高さで見てをりぬ　金久美智子

海津大崎の覆い被さるような葉桜のトンネルは、森林浴のような至福を齎す（喜代子）、伝業平の墓は、豪雪地帯らしく、雪に埋もれていて華麗な艶聞の業平ゆえに切ない（悦子）、今津の黒々とした扇状地から月に照らされた琵琶湖へ、暗から明への転換は劇的である（和夫）、古い今津の宿の白障子越しに穏やかな冬の夜の琵琶湖を思う（和子）、魞挿しの地道な作業に同じ高さの視線で見入る俳人の目は鋭い（美智子）。

㉑オリーブ（小豆島）

小豆島のシンボル

オリーブはモクセイ科オリーブ属の常緑小高木で、アフリカの地中海沿岸が原産。幕末文久年間に渡来し、本格的な栽培は明治四十一（一九〇八）年。南欧の温暖少雨の気候に似る小豆島に適応し、「オリーブの島」と呼ばれる。初夏、芳香のある帯黄白色の小花をつけ、楕円形の緑の実が黄色に変わり黒褐色に熟す。食材に加え、調味料、美容オイル等にも利用される。

オリーブの花咲く島へ航早し　星野立子
橄欖を擲げたき真青地中海　林　翔
風絶ゆるなくオリーブの匂ふかな　清崎敏郎
オリーヴ摘む少女の肩を沖の船　飴山　實
旅遠しオリーブの実を摘みもして　山崎ひさを
旅果てぬオリーブの実をてのひらに　涼野海音
花は葉に白身魚へオリーブ油　篠崎央子

初夏の小豆島への航路、早く着きたいと急く気持ちが溢れる（立子）、昭和四十三年の欧州旅行、アテネへの機上から真青な地中海への感嘆符（翔）、年中風の絶えない小豆島、初夏はオリーブの花の芳香に包まれる（敏郎）、オリーブを摘む島の乙女は、ふと南欧の国の娘を彷彿させる（實）、異国の匂いのオリーブを摘みつつ、旅を続ける秋思のような感慨を覚える（ひさを）、オリーブの実を掌に、旅を終えた若者らしいアンニュイ（海音）、レシピの多いオリーブ油、葉桜に白身魚の色彩が引き立ち美味そう（央子）。

小豆島は、淡路島に次ぐ瀬戸内海の第二の大きな島で、奇岩絶壁と春の新緑、秋の紅葉の織り成す寒霞渓の絶景を擁し、瀬戸内海国立公園の中心。オリーブ、手延素麺も名高く、四百年の歴史を有する醤油造りは、近代産業遺産にも認定されている。当島出身の壺井栄の小説「二十四の瞳」とその映画

◀オリーブの葉

◀オリーブの実

▲オリーブ原木（写真提供：一般社団法人 小豆島観光協会）

─高峰秀子の大石先生と十二名の教え子との戦前、終戦翌年までの激動期の交流を描く─で小豆島を全国的に知らしめた岬の文教場は今も残る。
島内のみの八十八ケ所霊場を巡る「島四国」の遍路道は、全行程一五〇キロにも及ぶ。

咳をしてもひとり　尾崎放哉
蛙つぶやく輪塔大空放哉居士　水原秋櫻子
オルガンに遅日の埃積りしを　伊藤柏翠
（岬の分教場）
息吹きては春子累累寒霞渓　松本 進
並びゐる残念石と秋の浜　笹部禎子
燕低し海にかぶさる醤油蔵　広渡敬雄

山頭火と並び自由律俳句の双壁ながら、酒乱で各地を追われ、終の住処となった西光寺南郷庵での八ケ月の暮し、天涯孤独の絶唱でもあろう（放哉）、南郷庵と放哉の墓を訪ね、辺りの蛙と同化してその戒名をつぶやく。大空が一層悲しみを深める（秋櫻子）、永年置かれたままの古いオルガンが郷愁を誘う（柏翠）、椎茸栽培もされており、秋椎茸と異なり色も香もソフトな春椎茸と奇岩絶壁との対比が際立つ（進）、秀吉の大阪城石垣用の島の御影石が積み残された浜には、石材の無念さも募る（禎子）、醤油蔵が連なる海辺の道（敬雄）。

鮮やかな紅葉、漆塗の材料

㉒漆（奥久慈・大子町）

ウルシはウルシ科ウルシ属の三〜八メートルの落葉広葉樹。古くから中国、朝鮮半島、日本で塗装用に栽培されていた。漆はウルシの樹皮を掻いて採取した樹液で飴色、やや酸味があり触れるとかぶれ（炎症）を起こす。樹液は劣化防止、塗装、接着剤となり縄文前期から利用され、漆器、工芸品に加え、日光東照宮陽明門等の建物の塗装にも使われ、美しい光沢を見せる。戦前は三十トンを産出したが、現在は、一・二トン。国内消費の四十五トンの九十七パーセントは中国産、良質な国内産は岩手県の二戸市浄法寺産が八十パーセントを占め、次に茨城県大子産である。二年前、文化庁が「国宝、重文の建造物の修復は上塗、下地塗に原則国産漆を使用する」と通告し、国内漆栽培に追風となっている。

あたりまであかるき漆紅葉かな　高濱虚子
空谷に木魂して掻く漆かな　岡本癖三酔《へきさんすい》
漆掻き百本の幹生殺し　今瀬剛一
かつこうや漆の山を磨かんと　渡辺誠一郎
春満月映す漆を重ねけり　野中亮介
蚊遣香腰につけたる漆掻　広渡敬雄

鮮やかな漆紅葉はひときわ眩しく目立つ（虚子）、人気のない谷筋の漆畑に漆を掻く音が響く（癖三酔）、殺掻は一度掻いた漆は伐採し、数年ごとに採取する養生掻と異なり文字通り漆にとっては生殺し（剛一）、良き漆になってくれと応援するかに郭公の声が響く（誠一郎）、春満月の中、塗師は名人芸で何度も漆を塗り込み、椀に月が映る程である（亮介）、蒸し暑い中の添掻き作業、汗の臭いに寄って来る藪蚊対策も万全にして行う（敬雄）。

▼掻いた漆の幹（写真提供：大子町役場 観光商工課）

　奥久慈・大子町は茨城の北西部、県下最高峰八溝山《やみぞさん》（一〇二二メートル）の南部にあり、天然鮎の久慈川が南流し、四季の美を誇る日本三大瀑布袋田の滝で名高い。西行は〈花紅

◀大子町の漆畑（写真提供：大子町役場　観光商工課）

葉よこたてにして山姫の錦織りなす袋田の滝〉と詠んだが、結氷期の凍滝も見事である。水戸藩時代からの蒟蒻、さらに林檎、奥久慈軍鶏《しゃも》も知られる。峠を越えた栃木県黒羽町の雲巖寺では、『奥の細道』で立ち寄った芭蕉が〈木啄も庵はやぶらず夏木立〉と詠んだ。

露涼しこんにゃく畑の奥久慈は　阿波野青畝
芋水車今日も廻つてゐしといふ　高野素十
余花明り遡る魚ありにけり　大野林火
滝抱いて月光ひびく雪の渓　能村登四郎
火を焚いて凍瀧守となりたしや　大木あまり
雲親し久慈も奥なる春田打つ　有馬朗人
雲仰ぐ八溝に蕗を束ねては　鎌田邦夫

林檎の産地でもあり、秋の朝晩は冷え込み、蒟蒻の葉にびっしりと露が付く（青畝）、蒟蒻芋の精粉加工に水車の臼と杵を活用した（素十）、余花の頃、清流久慈川を遡る鮎（林火）、まだ未凍結の袋田の滝に差す月、滝の響きを月光の響きとは詩的（登四郎）、四段の凍滝、火を焚いて瀧守とは粋である（あまり）、春浅い八溝山麓、雲も春らしくなり農耕が始まる（朗人）、里山で刈り取った蕗を籠から出し、夏雲の湧く八溝山を前に束ねる（邦夫）。

日本の代表的な落葉広葉樹

㉓欅（武蔵野台地）

欅は山野に自生し、樹齢千年を超え高さも五十メートルの巨木もあるが、公園樹・街路樹として植えられ、寺社建築、臼、盆、漆器に活用される。関東地方では欅の防風・防火の屋敷林も多い。仙台定禅寺通、東京表参道ケヤキ並木、所沢の十七キロのケヤキ並木、名古屋久屋大通、福岡けやき通り等の欅は美しく、全て新・日本街路樹100景である。

秋風に騒げり千年後の欅　鈴木六林男
千年の杉や欅や瀧の音　草間時彦
満月に落葉を終る欅あり　大峯あきら
遠くより見えて欅の薄紅葉　深見けん二
サングラス欅の精気あびにけり　岩永佐保
波郷忌や巨き欅の巨き影　依田善朗

今秋風に葉音を立てる欅だが、人類が滅亡しているかも知れない千年後の欅の姿に思いを馳せる（六林男）、両脇に千年の杉・欅が茂る東吉野村の名勝「投石の滝」での句、句集『瀧の音』で蛇笏賞を受賞し、当地に句碑がある（時彦）、落葉し切った後の欅の大木は満月を浴びて神々しく逞しい（あきら）、遠くからも見える欅の大木の薄紅葉、これから本格的な秋を迎える（けん二）、欅は紅葉、裸木、芽吹き時も良いが、盛夏の美しい姿も眩しい（佐保）、波郷を敬愛する作者の思いを具現化した句で、欅に存在感がある（善朗）。

武蔵野台地は、関東平野西部の荒川と多摩川に挟まれた都区の西半分、多摩地区、埼玉県の所沢等を含む面積七百キロメートルの地域で、『万葉集』・中世文学に度々登場し、『武蔵野』（国木田独歩）、『みみずのたはこと』（徳富蘆花）、『武蔵野夫人』（大岡昇平）等でその自然・暮し・風情が描かれた。都心に近い新宿区上高田には、まだ昔の武蔵野の面影を

▼新緑の欅

▲上高田の欅屋敷林（写真提供：野島正則氏）

留める屋敷林と長い垣根の地域が残る。昭和初期、「かきねの…」で始まる童謡「たきび」の作詞家巽聖歌は当地に住んでいて、同三丁目の旧名主鈴木家に童謡発祥地の碑がある。

秋風や欅のかげに五六人　高濱虚子

日本近代史やうやく厚し冬の墓地　中村草田男
（多磨霊園）

いつも来る綿虫のころ深大寺　石田波郷

昼顔のここ荻窪は終の地か　角川源義

踏青の水ひかり出すところまで　井上弘美
（石神井公園・三宝寺池）

東京マラソン芽起こし雨となりにけり　広渡敬雄

昭和五年に始まった「ホトトギス」の「武蔵野探勝」第一回は府中大國魂神社、その欅並木を詠った句で当地に句碑がある（虚子）、徳富蘇峰、岡本かの子、与謝野晶子等の文学者も多い墓地での感慨（草田男）、当山には波郷の墓と共に開山堂の横に〈吹き起こる秋風鶴を歩ましむ〉の句碑がある（波郷）、源義の旧邸宅は杉並区に寄贈され、角川庭園として一般開放されている（源義）、武蔵野の三大湧水池の一つの三宝寺池の眩しい水辺まで萌え出した草地を歩む（弘美）、世界六大マラソンで参加者四万人の東京マラソンは欅街路の西新宿都庁前がスタート地点である（敬雄）。

学校・官公庁の記念樹の裸子植物

㉔蘇鉄（堺・妙国寺）

蘇鉄は九州南端、南西諸島（奄美・沖縄等）、台湾、中国大陸南部に自生するが、日本国内では記念樹として植えられる。羽状複葉、朱色の種子を持つ雌雄異株で、生育は遅いが樹高は八メートルを超える。奄美・沖縄では蘇鉄餅等の郷土食以外にも飢饉や戦後の食糧不足の際の救荒食となり（ソテツ地獄）、中国では漢方薬にも活用される。

日本三大蘇鉄の堺市妙国寺の大蘇鉄は、織田信長が安土城に移植した際の「夜泣き蘇鉄伝説」で知られ、樹齢千百年の国指定天然記念物。境内に〈朝寒や蘇鉄見に行く妙国寺〉の正岡子規の句碑があり、〈とくゆるく雪虫まひて蘇鉄寺〉（飯田蛇笏）と詠われた。

蘇鉄の実の朱色を欲りて黒揚羽　細見綾子
霧の夜の荒濤こふる蘇鉄の実　福田甲子雄
引摺ってはこぶは蘇鉄枝拂　八木林之介
蘇鉄とは分らぬまでに冬囲　児玉輝代
龍天に登る月夜の蘇鉄かな　五島高資
くろがねの蘇鉄に流れ春の星　井原美鳥

蘇鉄の朱色の実に黒揚羽が近づく景はいかにも南国的で朱黒の色の対比が鮮やか（綾子）、南国の岩礁に自生していた蘇鉄は、植えられた地の静寂な霧の中、その怒濤を恋う（甲子雄）、葉がびっしりの蘇鉄の枝を付け根で切り落とし、その重い枝を引き摺って運ぶ音まで聞こえそうだ（林之介）、南国育ちで寒さに弱い蘇鉄は念入りに藁で覆うが、その姿は少し滑稽でもある（輝代）、春も半ば、朧月に蘇鉄の葉が柔らかな光沢を返す（高資）、春の潤んだ星が、黒々として存在感がある蘇鉄を中心に巡っている（美鳥）。

堺は大阪の旧国名の和泉（他は摂津、河内）に位置し、日本最大の前方後円墳・仁徳天皇陵等の古墳群を有し、中世は南蛮貿易で栄え自由自治都市を築いた。鉄砲鍛冶鋳物も盛ん

▼蘇鉄

▲妙國寺大蘇鉄（写真提供：日蓮宗本山 妙國寺）

で、武野紹鷗に師事し茶道を極めた千利休関連の草庵風茶室（実相庵）、千家一門の墓や石塔のある南宗寺が名高く、女流歌人として一世を風靡した与謝野晶子の生誕地でもある。

一本の茶杓に所思や利休の忌　阿波野青畝
（南宗寺）

人を怖れず世に阿らず晶子の忌　大橋敦子

その道の人か利休の墓洗ふ　森田　峠

昼月や御陵の濠の青みどろ　鳥井保和
（仁徳天皇陵）

土間の日に鉄粉舞へり鞴祭《ふいごさい》　辻本斐山

飛石は利休の歩幅噴井まで　広渡敬雄
（千利休屋敷跡）

二月二十八日の利休忌法会後、三千家宗匠の茶会が催され、一本の茶杓に賭けた利休の矜持を思う（青畝）、日露戦争の御国の為に命を辞さなかった時世、出征する弟に「君死に給ふこと勿れ」と敢然と歌った晶子（白桜忌：五月二十九日）への敬意（敦子）、利休の墓を丹念に洗う茶人の後ろ姿にオーラさえ感じる（峠）、鬱蒼とした森の仁徳陵の濠にはアオミドロが繁茂し、同じ緑でも色彩が微妙に異なり、昼の月が白く浮かび印象的である（保和）、鞴祭は旧暦十一月八日に鞴を使う鍛冶屋鋳物師が行う祭でいかにも堺らしい（斐山）。

コラム① 春の息吹

東北の山々はまだ深い雪に覆われてはいるが、日本最初の世界自然遺産の白神山地を始め各地の山域に広がる山毛欅《ぶな》林には、着実に春の息吹が感じられる。

ぶなの大きな根元の周りからいち早く雪が溶け、地表が現れる「根開き」という現象で地上部の枝の芽吹きを助ける。

五月には新緑が目に眩しく、鳥たちの恋の囀りの中、静かな鼓動のように発する樹木物質や微《かす》かな香りが周辺に漂う。

大いなるセラピー効果があり、森林浴も楽しめ、秋には黄金色の黄葉となる。

日本列島の背骨と言われる中央分水嶺。降った雨水が、太平洋（瀬戸内海）側と日本海側へと分かれる境であり、東北地方でもその大半は急峻な山稜であるが、手軽に行けて、地上に現れた水流に手を浸せるところがある。

芭蕉が「奥の細道」で仙台領尿前《しとまえ》の関を経て二泊し〈蚤虱馬の尿する枕もと〉と詠んだ封人の家の近くの山形県最上郡堺田（中山峠、標高三三八メートル）である。

このせせらぎは、東に一一六キロ下り旧北上川を経て石巻湾に流れ、西は一〇二キロ下り最上川を経て日本海に注ぐ。

この冷たいせせらぎに手を浸すと、不思議な感慨が生まれる。

神の采配による一滴の別れでもある。

東への流れを見ながらこのふくよかな水が、震災地石巻湾に注ぐのが心の救いのようにも感じられる。根開きまた、ぶなの眩しい葉に降った恩寵の一滴である。

万緑を顧みるべし山毛欅峠　　石田波郷

西では、兵庫県丹沢市氷上町石生の水分れ（標高九十五メートル）。こちらは春爛漫《らんまん》の水である。

コラム②　森の豊かさ

昨年（二〇一九年）は台風による豪雨で山や崖の崩壊が相次ぎ、何日も電気や通信が機能しなかった。日本の林業は、安い外材に押され、森林維持の人材が減り、森は荒れて保水量が大幅に落ちていると言われる。

秩父の林業家、引間豊作の句集『木霊《こだま》』を繙く。生涯を杉の林業に携わり、山の精霊に感謝しつつ、千本の木を伐った時は千本の苗を植え、地道な治山に貢献したが、惜しくも三年半前に亡くなった。

造林を一途に生きて斧始

枝打のかひな疲れや春の雷

瀧の音消して巨杉伐られけり

蛇笏賞俳人の宇多喜代子は、句集『森へ』のあとがきに「息苦しくなると原生の森を安息の場と思念し、再生のよすがとします」と記す。森林浴によって、セラピー効果という自然の恩寵を受けるのである。加えて、蝸牛を通して森を足掛かりに現代を見据える。

芽吹く木の騒騒と一山をなす

雨あとの森を背負うて蝸牛

長野の俳人小林貴子は「宇多喜代子さん曰《いわ》く」として、こう詠んだ。

山は大きな水のかたまり蕗の薹

この句は、東京都水道水源林が奥多摩の広大な森林と小河内ダムにより、人と動植物を育てていることと通底する。

東日本大震災の大津波で壊滅的な被害を受けた三陸気仙沼の牡蠣は、牡蠣漁師のたゆまぬ後背の山（魚付林《うおつきりん》）の保守により、豊かなミネラルの土壌と水で、見事に再生した。

名草の芽踏んで魚付林の奥　　菊田一平

豊かな森を生き生きと詠み、人間は自然界の一員だと再認識したい。

㉕菩提樹（太宰府市観世音寺・戒壇院）

仏教寺院に多い芳香の花樹

菩提樹は、シナノキ科の中国原産の落葉高木。六月に散房状で下向きの香り良い淡黄色の花が咲く。臨済宗の開祖栄西が中国から持ち帰ったとも伝えられ、仏教寺院に多い。釈迦がその樹下で悟りを会得したのは、クワ科の印度菩提樹。シューベルト歌曲「冬の旅」に歌われる「リンデンバウム」（菩提樹）は近縁の西洋菩提樹で別種である。

夕凪に菩提樹の実の飛行《ひぎょう》せり　（播磨・鶴林寺）　永田耕衣

もしかして菩提樹の花この匂ひ　飯島晴子

菩提樹瑞枝《みずえ》享けて富貴のあるごとし　山田みづえ

鳥のいちにち菩提樹のはだへの斑　佐藤文香

名刹鶴林寺近くが生家で、境内にその句碑もある耕衣、仏教に詳しく菩提樹の実の自在な落ち様を神足通に喩える（耕衣）、シニカルな視点の晴子、初めて菩提樹の花の芳香を体験した疑心暗鬼な表情が読み取れる（晴子）、菩提樹の瑞々しい若い枝を享けて晴れがましい（みづえ）、鳥がよく来る菩提樹の帯紫褐色で浅く裂けた幹をクールに詠う（文香）。

令和も改元二年目を迎えたが（令和二年現在）、新年号の由拠とされる歌会が催された大伴旅人邸跡の坂本八幡宮のある太宰府市は、福岡市の南東十六キロにあり、一三〇〇年前、西海道九ヶ国等の行政司法、中国朝鮮との外交防衛の要として水城、大野城、基肄《きい》城に囲まれた政庁（都府楼）、筑前国分寺等があった。観世音寺は、天智天皇が御母斉明天皇を弔うために建立した大寺院であったが、現在は元禄時代再建の講堂と金堂が建つのみ。その鐘楼には天平期の作で日本最古で国宝の梵鐘がある。寺苑には東大寺、下野薬師寺とともに日本三大戒壇院があり、鑑真が開山し、天然記念物の菩提樹が名高い。また、菅原

▼菩提樹の花

道真を祀る太宰府天満宮には内外からの観光客、参拝客（受験生）が訪れる。一月七日の夜、変装した神官の持つ金の鷽に当り、その年の幸運を授かろうと木彫りの鷽を交換する鷽替え神事に参拝者が殺到する。

天の川の下に天智天皇と臣虚子と　（都府楼址）　高濱虚子

◀観世音寺菩提樹（写真提供：大川ゆかり氏）

踏青や菅家謫居を心とし　阿波野青畝

鷽替に妻を誘ひてこそばゆし　（太宰府天満宮）　広渡敬雄

夏蝶の現れて水色水城跡　林　翔

菩提樹咲く旅のをはりの戒壇院　坂本宮尾

鐘撞いて僧も霞のなかのもの　（観世音寺）　伊藤通明

穴惑観世音寺の灯るまで　野中亮介

天智天皇の御代、天の川の下の政庁で帝に侍る自身を想像する虚子の雄渾と自信（虚子）、都を追われた菅原道真と同じ思いで、天満宮付近の芽生えた青草を踏みゆく（青畝）、鷽替神事に一緒に来たからには、これから妻には嘘もつけなくなる（敬雄）、当初は防衛のため水城（防塁堤）の前には水堀があったが、不意に現れた夏蝶に当時の満々と湛えた水堀の水の色を重ねる（翔）、九州の旅の最後に訪ねた戒壇院の淡黄色で香しい菩提樹の花に心が落ち着く（宮尾）、戒壇院の天下の名鐘を撞く僧は、その黄鐘調《おうしきちょう》の美しい音色の中、現実から離れて天平の中に浸っているようだ（通明）。観世音寺が灯るまで見かけた穴惑い、この蛇は建立当時からの蛇の子孫かと思うと感慨深い（亮介）。

㉖榎（中山道垂井宿の一里塚）

一里塚の大樹

榎は、ニレ科エノキ属の落葉高木、灰黒褐色の斑点のある厚い樹皮で、葉は互生、左右非対称の広卵形。樹高二十五メートルにも達し、五月に淡黄色の雄花と両性花が咲く。十月頃、赤褐色に果実が熟し、食することもできる。江戸幕府が街道道程を示す目安として設置した一里塚には、大木で目立ちやすい榎が植樹され、日光街道西ケ原（東京都北区）の現存する二本榎が名高い。かつて大榎のあった垂井の一里塚は江戸から一一二番目である。

▲榎の実

猫の子が蚤すりつける榎かな　小林一茶

掛巣鳴いて榎の花をこぼしけり　大谷句仏

ふた本の榎しぐるる月日かな　岸田稚魚
（故郷西ケ原に帰りて住めるに）

榎の実置く空襲を経し文机　秋元不死男

榎の実食ふ二十羽も一かたまりに　阿波野青畝

大榎据ゑて涼しき書院かな　井上弘美
（旧三井家下鴨別邸）

小動物への優しい眼差しの一茶、蚤も配して苦笑させる（一茶）、東本願寺第二十三代法主で虚子に師事した作者、掛巣がこぼす榎の小さな花に焦点を絞る（句仏）、西ケ原一里塚の榎を見て育った作者、三年余の肺結核の療養生活から戻った感慨（稚魚）、横浜大空襲を免れた文机に榎の実を置いてしみじみと戦中を思う（不死男）、榎の実を鳥は好んで啄むが、これは椋鳥に違いあるまい（青畝）、下賀茂神社に隣接し、糺の杜から水を引く池泉回遊式庭園の邸、ひときわ高い榎は書院を包むかに鬱蒼とした涼しさを漂わす（弘美）。

関ケ原宿の一つ手前の垂井宿は、中山道の江戸から数えて五十七番目の宿場。東海道と中山道とをつなぐ「美濃路」の分岐点「垂井追分」の道標も残り、格子戸の昔ながらの建物「旧旅籠長浜屋」も公開されている。芭蕉も何度も訪ね、冬籠りをした本龍寺、美濃国一の宮の南宮大社がある。古くか

◀垂井一里塚（写真提供：垂井町観光協会）

ら名泉として名高く、垂井の地名は美濃国司だった藤原隆経の〈昔見したる井の水はかはらねどうつれる影ぞ年をへにける〉に因ると言われる。豊臣秀吉の軍師竹中半兵衛以降、竹中氏が当地を治め、嫡男重門が築造した陣屋跡が残る。

いざさらば雪見にころぶ処まで　松尾芭蕉
（本龍寺）

砂肝をかりりと美濃や厚氷　藤田湘子

枝交す若葉に陣屋趾暗し　松井利彦

垂井町名越の頃の空のいろ　辻　恵美子

醒ヶ井の水に冷やさる真桑瓜　村上喜代子

桃配山より来る鵯かな　広渡敬雄
（関ケ原・三成陣地）

〈葱白く洗いあげたる寒さかな〉の句碑もあり、芭蕉の当寺への去りがたい愛着の強さが窺える（芭蕉）、旅吟もきっぱりと詠み切る作者らしい美濃への挨拶句（湘子）、竹中氏陣屋の若葉眩しい中、軍略に思案する半兵衛の顔が浮かぶようだ（利彦）、南宮大社の茅の輪の頃は、梅雨の最中。岐阜県在の作者らしい梅雨空の実感が窺える（恵美子）、当地同様に湧水で名高い近くの醒ケ井宿。岐阜名産・旧真桑村産の黄色い楕円形の瓜に郷愁を覚える（喜代子）、鵯の大群はまるで桃配山の家康軍が放った一斉射撃のようだ（敬雄）。

伊豆が北限、古代よりの神木

㉗梛（熱海市・伊豆山神社の梛）

梛《なぎ》は、マキ属の常緑高木で伊豆以南の暖地の山地に自生し、雌雄異株、紫褐色の樹皮、葉は楕円状披針形で初夏に開花し、種子は十一月頃成熟する。古代より神社の境内に植えられ、熊野速玉大社（他熊野三山系神社）や春日大社では神木とされ天然記念物である。

北限とされる伊豆山神社の梛の大木も神木で、俳句のみならず短歌でも歌われている。〈北限のこの地に生ふる梛の木は黒みばしる実あまたを落す　本阿弥秀雄〉

梛の木の梛の葉散らす春北風　武藤紀子

雨の中土用芽しるき梛大樹（伊豆権現・伊豆山神社）　柿沼常子

常盤木の梛の落葉や杜暗し　名和未知男

一本の梛たかだかと鹿寄せ場（奈良・鹿の角切）　広渡敬雄

懸巣来てゐる旧社地の梛大樹（熊野本宮大社旧社地・大斎原）　谷口智行

常緑の梛の葉を吹き散らす春北風、まだ本格的な春は遠い（紀子）、普通芽吹は春だが、白雨の中、伊豆権現の梛に土用芽を見つけた作者（常子）、常緑樹梛、初夏から新葉が出ると徐々に落葉するが、鬱蒼とした鎮守の森は暗い（未知男）、春日大社では神使とされる鹿、梛も神々しい境内の鹿苑での角切りは秋の風物詩（敬雄）、明治の大洪水で、熊野詣の大斎原は流失したが、石造の小祠が残り掛巣が騒がしい。熊野在で、当地に造詣の深い作者ならではの句（智行）。

熱海市は伊豆半島の北東部（付け根）に位置し、箱根連山・十国峠を背に相模湾に臨んでいる。日本三大古湯で、伊豆山神社（走湯大権現）は、源頼朝・北条政子の逢瀬で知られ、源氏再興後、頼朝一族の熱心な崇拝と庇護があった。一般庶民に加え政治家・文人墨客にも愛され、尾崎紅葉の『金色夜叉』の碑や双柿舎（坪内逍遥旧宅）の他、美術館等も多く国内有数の国際観光都市であ

▼梛の葉

る。網代、伊東と続く海岸では、海産物を売る店が連なり、湾内の初島は周囲四キロの縄文遺跡もある小島で、近年はリゾート開発されている。

湯の宿は坂がかりなり柚子の花　清水基吉

蓬莱や大山蓮華まだ莟　（伊豆山・旅館「蓬莱」）　長谷川　櫂

◀伊豆山神社の梛の木（写真提供：熱海市役所　文化交流室）

母つれて熱海の宿に返り花　阿部みどり女

来の宮は日かげの宮よ納め雛　（来宮神社）　星野立子

双柿舎の竹の裏木戸小六月　（坪内逍遥・晩年の旧宅）　飯田龍太

海までの街の短し鰺を干す　（伊東）　神蔵　器

八九人降りて網代の駅遅日　山崎房子

外海が見えないへくそかづらかな　（初島）　今瀬剛一

熱海は確かに坂が多く、ひっそりした情緒ある宿に柚子の花が似合う（基吉）、江戸時代からの名宿「蓬萊」が定宿だった作者。蓮に似た芳香ある大山蓮華は、作者の愛する「吉野」の八経ヶ岳にも自生する（櫂）、初冬の熱海に母を連れての温泉保養はしみじみとした情感がある（みどり女）、熱海の地神でパワースポットで大楠もあり、日かげの宮とは的確（立子）、父蛇笏の早稲田在学時代の教授であった逍遥、山国暮らしの龍太に小春日の海の匂いは新鮮（龍太）、伊東付近の干し鰺の景が見える（器）、晩春の網代駅の光景（房子）、観光地らしからぬ視点の句だが、初島の明るい外光と潮騒は偲ばれる（剛一）。

㉘植林杉（秩父）

秩父の林業家俳人・引間豊作

杉は建築用材として全国で最も多く植林され、屋久杉、吉野杉、秩父杉、秋田杉等が知られる。秩父で杉の林業家として生涯を過ごした俳人引間豊作の句集『木霊《こだま》』には、厳しく危険な山林作業がリアルに詠われている。〈造林を一途に生きて斧始〉〈伐採のしよつぱな春のみぞれ来る〉〈山に生きて五十年なほ杉植うる〉〈枝打のかひな疲れや春の雷〉〈チェーンソーとめて雌鹿の跳ねるを看〉〈倒木の朽つる源流星がらす〉〈伐採図展べし狭間やほととぎす〉〈朝霧や山小屋に貼る作業指示〉〈杉倒す向き定むるや神渡〉〈初霜や杉の種子採る甲武信岳〉〈杉伐りの楔に応ふしづりかな〉。杉の種から実生苗を育て、植え直して伐採、枝打ち等に手を掛け、それにより山の保水力も高め自然災害も防ぐ地道な仕事である。

杉の実を採る一本の命綱　近澤杉車
杉苗の折れて匂へる秋日かな　大木あまり
紅葉の中杉は言ひたき青をもつ　森　澄雄
枝打のするする登る杣梯子　橋本石火
雪が降る杉の林も折れさうに　今井杏太郎
杉玉は地球のかたち秋気澄む　黒澤麻生子

杉苗を育てるため命綱を付けて、高く生る杉の実を採る作業（杉車）、秋植えの杉苗束の中の何本かが折れて、秋日の中杉の香が漂う（あまり）、紅葉の中華美のない凛とした青い杉林、澄雄の俳句への矜持も同じであろう（澄雄）、商品価値を高めるためにも杉の枝打ちは欠かせない。樵は職人芸のように縄梯子ですいすいと登ってゆく（石火）、まだ植林してそう年月のたっていない幹の細い杉林、杏太郎らしい「折れさう」の措辞（杏太郎）、名酒が醸されよとの願いの杉玉を地球のかたち！　とは独創的（麻生子）。

▼杉苗

秩父は埼玉県の最西部の秩父盆地を中心とした地域で、奈良時代にわが国初の自然銅を産出し、日本の最初の流通貨幣和同開珎が生まれた。養蚕が盛んで秩父銘仙が知られ、セメ

▲杉の植林地（写真提供：山岡喜美子氏）

ント原料の石灰石（武甲山等）も豊富である。京都祇園祭、飛騨高山祭とともに日本三大曳山の秩父夜祭や荒川渓谷・長瀞の川下り、秩父霊場巡りの遍路も賑わう。明治十七年の秩父事件（秩父困民党）は日本史上最大規模の民衆武装蜂起とされる事件である。

秩父路や天につらなる蕎麦の花　加藤楸邨

桑畑中行く秩父遍路かな　高濱年尾

曼珠沙華どれも腹出し秩父の子　金子兜太

いなびかり生涯峡を出ず住むか　馬場移公子

橡の花きつと最後の夕日さす　飯島晴子

（椋神社近くの赤平川畔）

夜祭の灯の渦の天武甲聳つ　中田小夜

猿出るぞ熊出るぞ柿熟れにけり　広渡敬雄

盆地を囲む山の高きまで蕎麦畑が広がる秩父（楸邨）、秩父三十四札所（観音霊場）巡りは桑畑を行く（年尾）、秩父の大地と一体化して遊んだ自身の幼少期も含め、秩父への全幅の愛着句（兜太）、伝説の秩父の女性俳人（移公子）、秩父事件の蜂起結集地・椋神社や他の史跡をこまめに廻り、目にした橡の花への晴子らしい感慨句（晴子）、酷寒の中、秩父夜祭の街が燃える。名峰武甲山は石灰石採掘で大きく抉れて無残だが（小夜）、猿も熊も動物的勘は鋭い（敬雄）。

日本屈指の茶畑・牧之原

㉙茶の木（牧之原台地）

茶の木は、ツバキ属の常緑低木で、僧栄西が建久二（一一九一）年に中国から持ち帰り、平戸島富春園や佐賀・福岡県境の背振山で緑茶用として栽培し、その後各地に広まった。ふちは細鋸歯のやや革質で、表面は光沢のある長楕円形の葉で、初冬に白い五弁の花が咲き、蒴果は約二センチの扁球形。茶所として、鹿児島（知覧、溝辺）、佐賀（嬉野）、福岡（八女）、宇治、伊勢、狭山、静岡（牧之原、川根、岡部等）が知られる。

強霜の茶の木の声を聴かむとす　栗原憲司
茶の咲いて一番遠い山が見え　大峯あきら
茶の花やこの家の人いまだ見ず　二ノ宮一雄
茶の花や母の形見を着ず捨てず　大石悦子
茶を摘むや胸のうちまでうすみどり　本宮鼎三
つひに見ず茶を揉みに揉む指の先　松尾隆信

狭山茶茶園を営む俳人。茶農家にとって最大の敵は霜、強霜の夜は茶の木と心を一つにする（憲司）、初冬の澄み切った空を活写（あきら）、いつも気になっている茶垣の家だろうか（一雄）、慎ましく生きた母だったのだろう。遺愛の服を通しての母への思い（悦子）、茶の鮮やかな薄緑と芳香の中、自然と一体化した手摘みへの賛歌（鼎三）、一心に茶を揉み、良茶にする地道な作業、揉まれる茶葉のみへの俳人としての凝視（隆信）。

牧之原台地（遠州）は、大井川の西側の金谷、榛原、相良、菊川地区の広大な台地で、明治二年、旧幕臣新番組（将軍警護隊）が、十六代徳川家達《いえさと》の援助のもとに着手し開墾を重ね、現在では日本最大規模の茶の栽培地となっており、「ふじのくに茶の都ミュージアム」がある。灯台で名高い御前崎で駿河湾と遠州灘に分かれ、老中田沼意次の相良城址、西行が

▼茶の花

▲川根本町の茶畑（写真提供：栗原憲司氏）

〈年たけてまた越ゆべきと思ひきや命なりけり小夜の中山〉と詠った中山峠がある。現在は掛川市に移転した宮城まり子の「ねむの木学園」があった。

駿河路や花橘も茶の匂ひ　松尾芭蕉
茶の畝は窪に入りて窪を出る　山口誓子
茶畑の前山高し日脚伸ぶ　広渡敬雄
茶刈機は横刈り蝶も横飛びに　百合山羽公
松蟬や遠州灘に日の白し　鈴木鷹夫
茶の花を心に灯し帰郷せり　村越化石

駿河に入ると温暖な気候で芳香ある白い橘の花も咲いているが、茶の本場でもあり茶の匂いに包み込まれるようだとの駿河賛歌の句、遠州との境の大井川の東の島田宿の本通りに句碑がある（芭蕉）、広大な牧之原台地の茶畑、窪にも山にも縦横に茶畑が広がる（誓子、敬雄）、かつて浜松市在の蛇笏賞作家、茶刈機と蝶の動きを詠む（羽公）、御前崎近くの松林で早くも松蟬（春蟬）が鳴き始め、白々と輝く遠州灘が広がる（鷹夫）、ハンセン病治療のため、中学を中退して離郷、草津栗生楽泉園で生涯を過ごす。治療薬の副作用で全盲になるも、句作に励み、蛇笏賞を始め俳句部門の全ての賞を総なめにした作家。六十年ぶりに岡部町（現藤枝市）に帰郷し、原風景の茶畑、茶の花を心に灯し感泣する（化石）。

㉚泰山木（松山市・愛媛大学）

明治六年、北米からの渡来樹

▲泰山木の花

泰山木は、モクレン属の常緑高木。樹高は二十メートルにも達し、葉は長楕円形の革質で光沢があり、六〜七月に花弁が六個の芳香ある白い花が咲く。花言葉は「前途洋々」「威厳」。公園樹、街路樹が多いが、愛媛大学構内にはわが国屈指の三十九本の並木道がある。

ロダンの首泰山木は花得たり　角川源義
壺に咲いて奉書の白さ泰山木　渡辺水巴
あけぼのや泰山木は蠟の花　上田五千石
泰山木の花に怒りの相を見し　波多野爽波
谿ちかく絶唱の白泰山木　友岡子郷
枯蓮に泰山木はまぶしい木　谷さやん

角川書店創業の著者の新居完成の際に贈られた泰山木の苗に花が咲き、愛蔵のロダンのブロンズ像ともども満面の笑みが見える（源義）、奉書の白さ！　とは。壺に活けた泰山木の花の崇高さが眩い（水巴）、初夏の暁光に泰山木の花の質感をずばり詠み切って過不足がない佳句（五千石）、穏やかな大人《たいじん》の容貌の花に怒りの相とは！（爽波）、渓谷の樹林の中でひときわ高くひときわ白い泰山木の花、「絶唱の白」は渾身からの措辞であろう（子郷）、大半は花が詠まれる泰山木、艶々とした常緑葉の樹容は一面の枯蓮の池の辺で存在感がある（さやん）。

旧伊予国の松山は、愛媛県のほぼ中央部に位置する県都。江戸時代には俳諧が盛んで松山俳壇として知られ、明治以降は、柳原極堂、正岡子規、河東碧梧桐、高濱虚子、中村草田男、石田波郷、篠原梵等、近代俳句を代表する俳人を輩出し、「俳都」と呼ばれる。日本最古の名湯・道後温泉、名城・松山城、四国八十八か所霊場・石手寺等が名高い。夏目漱石も旧制中学校英語教師として着任し子規とも交流し、名作「坊つちゃん」の舞台ともなった。

春や昔十五万石の城下哉　正岡子規

遠山に日の当りたる枯野かな　高濱虚子

貝寄風に乗りて帰郷の船迅し　中村草田男

葉桜の中の無数の空さわぐ　篠原　梵

（石手寺）

一草庵臘梅の香が日だまりに　池内けい吾

起立礼着席青葉風過ぎた　神野紗希

（松山東高校）

子規の街よき風を得て初幟　広渡敬雄

日清戦争従軍前に帰郷した折の作品、親藩大名・久松家の威容を誇った城下の今昔を偲びつつ、その士族たる矜持が垣間見られる（子規）、当地での作、自解にあるように眼前の遠山の写生ではなく、心の中の原風景、幼年時代を過ごした風早郡の山野であろうか。二十六歳にして虚子の一代傑作と言われる（虚子）、帰郷への心の高揚感を詠う（草田男）、伊予市出身俳人、石手寺に句碑があり、人口に膾炙する独自の視点の佳句（梵）、放浪の自由律俳人・山頭火が晩年を過ごした終焉地、その不遇の生涯を癒すかに蠟梅の花の香を詠う（けい吾）、俳句甲子園で活躍後、現在の俳壇を牽引する若手俳人の青春性溢れるデビュー作品（紗希）。松山はこれからも子規の志を継ぐ俳人を生み続けるであろう（敬雄）。

▼愛媛大学構内・泰山木並木（写真提供：谷さやん氏）

街路樹、公園樹の美しい枝垂柳

㉛柳（那須・芦野遊行柳）

柳はヤナギ科の落葉高木の総称。単葉で雌雄異株、黄色い小花が多数群がり尾状花弁を作り、種（柳絮）は風に乗って飛び散る。皇居のお濠端、銀座、京都・高瀬川、尾道川、城崎温泉、福岡・柳川の掘割の枝垂柳並木の他に、上高地・梓川の化粧柳も美しく名高い。

謡曲「隅田川」や霊が宿るとされる柳に纏わる四谷怪談も知られる。柳絮は中国では五月の風物詩で漢詩等で古来から詠まれ、アイヌ民族は柳の幣を川に投じ荒ぶる神を鎮める。

よけて入る雨の柳や切戸口　永井荷風
猫やなぎ隣り田はまだ凍りをり　能村登四郎
芽柳の街来て空也最中かな　山崎ひさを
朝夕を婆娑羅とそよぐ夏柳　宇多喜代子
先生のゐない銀座の夏柳　仁平　勝
芽柳や画布にまづ置く水の色　片山由美子
転がつて柳絮の太る都かな　日原　傳

花柳界、下町を愛した作者らしい風情（荷風）、人事句の作者には珍しい自然詠（登四郎）、銀座の老舗和菓子屋の最中、銀座通り改修で消えた柳も一部で復活している（ひさを）、夏柳は春の柳と違い力強く婆娑羅の措辞がリアル（喜代子）、師今井杏太郎は銀座の柳が似合う飄々とした句風であった（勝）、画架を立て水辺の柳のスケッチ、まず水から描き始める（由美子）、中国文学研究者の作者、度々訪ねる北京の初夏の景を描く（傳）。

現在も噴煙をあげる那須岳の裾野の広大な扇状地は、明治以降開墾され西洋式農場や大リゾートとなり、那須や塩原の温泉郷も名高い。芭蕉は『奥の細道』の旅で那須（那須野、黒羽、雲巌寺、殺生石、遊行柳等）を訪ね、後記の他に〈木啄《きつつき》も庵《いほ》はやぶらず夏木立〉（雲巌寺）、〈野を横に馬引き向けよほととぎす〉（那須野ヶ原）、〈湯をむすぶちかひもお

▼柳

▲那須芦野の本柳（写真提供：一般社団法人 那須町観光協会）

なじ岩清水〉〈那須温泉〉、〈石の香や夏草赤く露暑し〉〈殺生石〉を作り、白河の関に向かっている。

田一枚植ゑて立ち去る柳かな　松尾芭蕉
柳散り清水涸れ石処々《ところどころ》　与謝蕪村
また曲る那須のけむりや草摘める　阿波野青畝
薄暑かく殺生石を匂はしむ　藤田湘子
まつくらな那須野ヶ原の鉦叩　黒田杏子
田起しの日和の遊行柳かな　太田土男
遊園地より絶叫と青嵐　広渡敬雄

崇拝する西行が〈道の辺に清水流るゝ柳陰しばしとてこそ立止まりつれ〉と詠んだ芦野の柳は、鑑賞は幾説かあり謡曲「遊行柳」でも知られる（芭蕉）。蕪村の句もこの地に句碑がある。妻が当地出身のため多くの那須を詠んだ作者（青畝）、炎昼でなく薄暑の殺生石の匂いを詠み切る力量（湘子）、広大な那須野ヶ原の漆黒の闇に鳴く鉦叩は、まるで作者自身の命の象徴のようである。ほどなく鉦叩は広大な那須野ヶ原の片隅で命を終える。戦時中当地に疎開した作者の少女時代の体験が深く漂う（杏子）、遊行柳の周りは芭蕉当時と変わらぬ田圃、田起しを見つつ芭蕉を偲ぶ（土男）、那須は首都圏にも近く、森の中に遊園地もあり休日は大いに賑わう（敬雄）。

高山帯の氷河遺存種

㉜這松（北アルプス・乗鞍岳）

這松は、マツ科だが、通常の松と異なり五葉松と同属のカラマツ属。北海道から中部山岳地帯の海抜二五〇〇メートル以上の高山地帯に分布する。氷期に北方から南下して来て温暖化で取り残され高山に残った氷河遺存種である。多雪強風に耐えるために地を這うように育つのでその名があるが、富士山には存在せず、カラマツが似た樹型で生育している。

這松に生くるものとし秋の蝶　稲垣きくの
這松にひた鳴く秋の深山蟬　福田蓼汀
カムイ天上這松花粉散らしけり　岡田日郎
（大雪山系トムラウシ山）
這松の実を喰ひ散らし星鴉　伊野まさし
這松をわたる雷鳥しかと見し　笹目南草

高山蝶であればこそ、なおさら哀感がある（きくの）、秋の到来が早い深山、ひたすら鳴き続ける蟬の声が這松帯まで届くが、一ヶ月も経つとぴたりと止む（蓼汀）、アイヌ民族が「神（カムイ）の庭」と称える山域の夏の眩しい光景（日郎）、種子は、星鴉など動物に散布され子孫を繋ぐ（まさし）、這松の茂みに棲みその葉や実を食物とする雷鳥は、レッドリスト指定の国内希少野生動物であり、天敵を避け霧の出る際に活動することが多い（南草）。

乗鞍岳は、北アルプスの最南部に位置し、日本百名山の三〇〇〇メートル峰である。同じく三〇〇〇メートル峰の立山同様、夏の好天であればバス等を利用して行ける畳平（立山は室堂）を起点として楽々と頂に達し、這松帯では雷鳥、星鴉も見られる。戦時中に陸軍航空本部の高高度エンジンテスト研究施設建設の軍用道路が作られ、戦後は乗鞍スカイライン（観光道路）として活用された。また太陽のコロナ観測所が支峰摩利支天岳にある。

▼這松

避暑やスキー場で名高い長野県側の乗鞍高原から乗鞍エコーラインを駆ける、自転車ロード大会は日本最大の上りで定評がある。安房峠や野麦峠を越えた飛驒側には平湯温泉、

▲黒部川源流の鷲羽岳、水晶岳と這松（写真提供：倉田有希氏）

「円空仏寺宝館」を有する千光寺、夏は放牧される飛騨牛の共同牧場も多い。

平湯峠末枯れ平湯柿日和　水原秋櫻子
朴咲くや円空仏の荒瞼　藤田湘子
（千光寺）
乗鞍の鞍に雪渓長く垂れ　茨木和生
観測所より雪焼の男出づ　広渡敬雄
鷹今し風の本流とらへたる　正木ゆう子
（白樺峠）
まんさくや野麦峠はなほ閉ざし　名和未知男

乗鞍スカイラインとの分岐の平湯峠は、すっかり冬景色で雪も間近だが麓の平湯は秋真っ盛り（秋櫻子）、円熟期の円空の木彫仏像の絶妙な鉈削《ばつ》りは瞼にも（湘子）、遅くまで大雪渓が残り、夏スキーも見られる北東斜面（和生）、乗鞍コロナ観測所は通年観測から五月〜十月末までに変わった（敬雄）、鷹の渡り場として、伊良湖崎とともに名高い白樺峠、秋に越冬のため南に向かう数百の鷹の群れが風に乗って去る景は壮観である（ゆう子）、女工哀史の野麦峠、病で信州・岡谷から飛騨・古川へ帰る途中、「ああ飛騨が見える」と言って死んだ工女政井みねが兄に背負われた石像が残る峠は、雪の訪れが早くまた雪解けも遅い（未知男）。

㉝桑（群馬県・富岡製糸場）

殖産興業の要、養蚕の樹木

▲桑の葉

桑は、クワ科の落葉高木。山に自生する山桑を養蚕用に畑に植え低木に整える。樹皮は灰褐色で、葉は互生し長さ七～二十センチと大きく広卵形、四月頃白い雌雄異株の花が咲き、実は七～八月に赤い色から黒く熟し食べられる。桑は雷除けの木とされ、雷鳴の時「くわばら、くわばら」と唱えると良いとされる。蚕は上蔟まで日夜桑の葉を食べ尽くすので、農家は一家を上げて、早朝から日暮れまで桑の葉を摘む作業に忙殺される。

明治四年から続く皇室の養蚕は、特に皇后時代の美智子上皇后が熱心に取り組まれた。

桑の葉の照るに堪へゆく帰省かな　水原秋櫻子
きさらぎの日を鏤めて桑畑　松岡隆子
桑解くや風を呑みつつ日の落つる　村上鞆彦
山桑の花白ければ水応ふ　臼田亞浪
桑の実や山々抱く村と墓　鈴木直充
桑畑に人の足音夜明星　飯田龍太

桑を代表する句。江戸っ子で故郷を持たなかった作者が席題の「帰省」で作った句だが、赤城吟行等たびたび通った上州の景が脳裏に刻まれていたのだろう（秋櫻子）。枝を切られ括られた桑も、如月の眩しい光を浴び、そろそろ括りを解かれる日も近い（隆子）。桑を解く頃はまだ赤城颪も厳しく、その風を呑み込むように大きな夕日が没する（鞆彦）。桑の可憐な白い花が咲く頃、雪解の川音もそれに呼応する（亞浪）。山裾に広がる集落とその上の墓域、桑の実を口に含みつつ見下ろした子供の頃を回顧する（直充）。上蔟直前の五齢蚕の旺盛な食欲には摘んでも摘んでも追い付けず、未明から桑畑での葉摘みが始まる（龍太）。

群馬県（旧上毛野国＝上州）は、養蚕業が盛んだった昔日の面影はないが、桑畑面積、繭・生糸生産で全国第一位であり、機織業で桐生市は「西の西陣・東の桐生」と称された。

殖産興業の要として明治五年、開設された富岡製糸場は、昭和六十二年まで操業され、平成二十六年に世界遺産（近代産業遺産）となった。上州三山の赤城山、榛名山、妙義山に囲まれ、近隣には葱と蒟蒻で有名な下仁田、凜々しい冬桜の桜山公園の鬼石がある。

鬼城忌のその夜上州大月夜　伊藤柏翠
紅葉山蒟蒻村に灯が入りぬ　野澤節子
流星やすでに妙義をかくす闇　桂　信子
澄みのぼる時空の風の寒ざくら　石原八束
ずいと仰ぐ榛名十峰青あらし　広渡敬雄
繭倉の濃き片陰を伝ひゆく（富岡製糸場）　木暮陶句郎

子規虚子門下で高崎在の境涯俳人・村上鬼城の忌日九月十七日は、折しも鬼城を賛美するような見事な上州の月夜であった（柏翠）、蒟蒻は紅葉も鮮やかな山間部で栽培される（節子）、峨々たる岩峰の妙義山塊をも隠すほどの闇の中に流星が鮮やか（信子）、澄み切った風が今崇高な寒桜に吹いている（八束）、榛名山は戦艦のようにどっしりと十峰が競う（敬雄）、開業当時のままの煉瓦造りの繭倉を、炎昼に片陰沿いに見て回り往時の女工の苦労を偲ぶ（陶句郎）。

◀桑畑

㉞桐（会津・三島町）

嫁入り箪笥、下駄の会津桐

桐はノウゼンカズラ科の落葉高木。初夏には紫色の花が目立つ。葉は広卵形の対生で三十センチメートル近くあり、大ぶりの葉は〈桐一葉落ちて天下の秋を知る〉の通り、初秋に桐の葉が一枚はらりと落ちることから、衰亡の兆しを表す譬えともなる。会津は寒暖の差が大きく、江戸時代、藩主保科（松平）正之が桐の植林を勧め「会津桐」として名高くなった。

　木目が美しく丈夫で軽く燃えにくく、加えて防虫防湿効果があり、家具（殊に和箪笥の女王＝桐箪笥）、楽器、彫刻材や優れた下駄材（会津下駄）ともなる。

桐一葉日当たりながら落ちにけり　高濱虚子
桐の木の向う桐の木昼寝村　波多野爽波
桐の実が鳴る青空の深きにて　片山由美子
桐咲いて廢帝ここに祀りたる　上野一孝
桐箱に収めメロンも臍の緒も　土肥あき子
棒苗を植ゑて間遠や桐畑　宮岡計次
冬麗や桐のにほひの鉋屑　伊藤素広

桐一葉を代表する格調高い句（虚子）、桐畑のある静かな村はメルヘン的でもある（爽波）、紺碧の秋空の高い桐の実を鳴らして高西風が吹き、秋の終りも近い（由美子）、淡路島に流された奈良時代の淳仁天皇であろうか。桐の花が切ない（一孝）、確かに桐箱には大切な物を納める。メロンも臍の緒も。どことなく俳味も漂う（あき子）、桐を育成すべく苗を植える。まだ間隔が空いているが、桐は成長が早いのですぐに育つ（計次）、桐箪笥を作る工程、冬麗に削られた桐の良き香りが漂う（素広）。

▼桐の花

　福島県の会津地方は豪雪地帯で、尾瀬沼を水源とする只見川上流の田子倉集落は、昭和三十四（一九五九）年に電源開発で水没し、「田子倉ダム」となった。その下流域にある三島町は、女児が生まれると桐を三本植えて嫁入り箪笥にする

▲花盛りの桐畑（写真提供：三島町観光協会）

風習があり、全国一の桐の生産高を誇ったが、安い外国産に押され最盛期の十分の一に減少。町は危機感から桐の栽培計画を始め、桐専門員を設け、毎年「桐のお花見さんぽ」を企画し「桐の里」復活にかける。町の三島大橋の川霧はカメラマンの垂涎の地で、会津地鶏や虫送りも有名。会津地方の中心の会津若松は戊辰戦争の悲劇で知られ、蔵の街喜多方はラーメンでも知られる。

雛流す子ら奥会津雪解川　黒田杏子

湖に沈みし村の祭笛（田子倉ダム）　広渡敬雄

少年に維新は遠く芋の秋（飯盛山）　遠藤梧逸

磐《ばん》梯《だい》颪《おろし》素読の声を張りて耐ふ（日新館）　西嶋あさ子

喜多方や旅の朝寝の蔵座敷　長谷川耿子

奥会津には雛流しの床しい風習が残るが、その春は遅く、雪解川はまだそう水量は多くない（杏子）、鶴ヶ城の白煙で落城と思い自刃した白虎隊の悲劇に涙を流す（梧逸）、会津の「ならぬことはならぬ」精神を叩きこんだ藩校では今も伝統が継がれ、襟を正して聞き入る（あさ子）、喜多方は蔵の街、旅先での至福の朝寝に蔵の白壁が眩しい（耿子）。

㉟トドマツ（富良野市・東大演習林）

北海道を代表する常緑針葉樹

▲トドマツ（写真提供：陽美保子氏）

トドマツ（椴松）は、マツ科モミ属の常緑針葉樹。北海道や以北の亜寒帯（サハリン、千島列島南部等）に生育する。樹皮は黒っぽい褐色、樹冠は円錐形で樹高は三十メートルを超える。道内の人工林と天然林の四分の一、針葉樹林の二分の一を占め、エゾマツとともに北海道を代表する樹木で、本州の杉・檜のように建築材及びパルプ材、家具材に使われる。

演習林は、林学研究教育のための実習実験林で、全国の二十七の国公私大が、亜熱帯から亜寒帯地域に保有している。明治三十二年開設の富良野市の東大演習林は、二万三千ヘクタールに及ぶ広大な山林で、標高別に広葉樹、針広混交林、椴松、這松帯等がある。

椴松に秋の雲ゆくばかりなり　増田手古奈
椴松といふは雪降る木なりけり　今井杏太郎
椴松の硫黄禍しるく雁渡し　前田鶴子
椴松の夜空まつたし避暑期来る　陽　美保子
椴松や熊の爪痕鋭《と》く深く　広渡敬雄

「ホトトギス」で4Sに続く有力新人だった俳人、椴松林の上の真っ青な広大な空をゆく雲、いかにも北海道である（手古奈）、しんしんと雪降る椴松は、著者の幽玄の世界であろう（杏太郎）、北海道は活発な火山活動に伴い硫黄ガス噴出地も多く、傷んだ椴松が痛々しい（鶴子）、天を突くかの椴松の樹冠の上には星空が広がり、熱帯夜の本州には羨ましいほどに爽快な夜涼の富良野（美保子）、羆が爪を磨いだ痕が生々しく椴松の幹に残る（敬雄）。

富良野市は北海道の臍（地理的中心）の富良野盆地南方に

位置する。明治三十年代以降からの開拓以前は、深い原生林と硫黄性を含んだ泥炭地と火砕流の荒地のため、アイヌ民族も定住せず、三重県からの入植者等が原生林を切り開き、泥炭地を耕作地に変えた。

日本百名山の十勝岳は安政、大正時代に大噴火を起こし甚大な被害を齎したが、現在も活火山である。最上級のパウダースノーでFISワールドカップが開催された富良野スキー場、「北海道のへそ」に因んでお腹（臍）を揺らし、ユーモラスな顔の行進が爆笑を誘う「北海へそ祭」、倉本聰のテレビドラマ「北の国から」の舞台「麓郷の森」がある。

◀富良野・東大演習林のトドマツ（写真提供：陽美保子氏）

狐吊りて駅亭寒し山十勝　河東碧梧桐
硫気這ふ地獄へ崩れ一雪渓（十勝岳）　岡田日郎
ラベンダーに蜂来て茎のしなるかな　福永法弘
富良野樹海死後の深淵めく緑　鈴木牛後
じやがたらが咲き火の山も機嫌良し　新明セツ子
女郎花少しはなれて男郎花　星野立子

子規死後、虚子と主導権を争い、新傾向俳句宣伝の全国俳句行脚の折の句、開通したばかりの富良野駅舎には皮材料のキタキツネが吊られ、かなたに冠雪の十勝連峰が広がる（碧梧桐）、十勝岳の硫黄ガス噴出地へ雪渓が雪崩れる（日郎）、美瑛から富良野市への道辺にはラベンダーを始め花々が咲き誇り、「花人街道」と称される（法弘）、百二十年超以前は、見渡す限りの原生林の富良野樹海、その譬えも独創的（牛後）、今日は十勝岳の噴煙も上がらない穏やかな馬鈴薯畑、薄紫の花が美しく、収穫が待たれる（セツ子）、隣接する大雪山麓の夫婦のような二つの花に秋気が漂う（立子）。

㊱櫨（久留米市柳坂曽根）

▲櫨

燃えるような紅葉、木蠟の材料

櫨はウルシ属の落葉高木。雌雄異株で葉は奇数羽状複葉で互生し、鮮やかに紅葉し、扇球形で黄色の実がなる。実を蒸し融点の高い脂肪を圧搾して抽出すると木蠟となり、和蠟燭や膏薬、艶出し剤として幅広く使われ、江戸時代以降、西日本の諸藩では殖産のため植樹が奨励された。殊に久留米藩、佐賀藩、柳川藩、四国大洲藩（製蠟業の豪商）が名高い。

竹林へ一幹かしぐ櫨もみぢ　能村登四郎
水勢を火急と見たり櫨紅葉　上田五千石
櫨の実の黄なるひかりが冬をよぶ　吉岡禅寺洞
櫨の実を買ひに近江の木蠟師　藤田あけ烏

櫨の実のしづかに枯れてをりにけり　日野草城
櫨ちぎり来てゐし頃の夕暮よ　伊藤通明
櫨ちぎり鳥もすなる飛鳥山　小林貴子

櫨紅葉と青々とした竹の対比、絵も玄人跣の俳人らしい視点（登四郎）、櫨紅葉の照らす流れを火急とは詩人である（五千石）、櫨の実が黄色く鈴なりとなり、晩秋から冬となる（禅寺洞）、櫨の実買いは、櫨の持ち主と価格交渉を終えると、すぐ櫨の木に上りちぎり始める（あけ烏）、櫨の実は黄色から、黒っぽくなり枯れていく（草城）、郷愁を覚える櫨取が実をちぎり尽くしたあとの夕暮れ、寂寥感と郷愁がある（通明）、西日本に多い櫨、王子飛鳥山公園の庭園では、その実を鳥がちぎっては落としており、どことなく俳味もある（貴子）。

久留米市は九州一の大

▼櫨の実

河筑後川流域にあり、旧筑後国の要で、有馬藩二十一万石の城下町。地下足袋から靴、タイヤ等ゴム産業が発展し、ブリヂストンの石橋家が創設した旧・石橋美術館（現・久留米市美術館）は、当地出身の青木繁、坂本繁二郎、古賀春江の名作百余点を所蔵している。藩に奨励された柳坂曽根の一・二キロの櫨並木は、「柳坂ハゼ祭り」が開催される十一月中旬から十二月初旬は燃えるような紅葉が見事で、櫨の葉と実が

◀久留米市柳坂曽根の櫨並木
（写真提供：公益財団法人　久留米観光コンベンション国際交流協会）

一幅の画をなし「新日本街路樹100景」でもあり、青木繁は〈わが国は筑紫の国や白日別《しろひわけ》母います国櫨多き国〉と詠っている。三大絣として名高い伝統の久留米絣、豚骨ラーメンの発祥地でもある。秀吉の朝鮮出兵の際持ち込まれたとされる天然記念物・鵲《かささぎ》（カチガラス）は、七夕伝説の織姫と彦星をつなぐ架け橋としても名高いが、佐賀から久留米の田園地帯に棲息し営巣する。

鱖《えつ》見たき潮だぶだぶと筑後川　加藤楸邨

日除舟水天宮へ棹しにけり　阿波野青畝
（水天宮）

繁二郎絶筆の月春兆す　岡部六弥太
（石橋美術館）

桜しべ降る使はずのアトリエに　馬場公江
（坂本繁二郎旧アトリエ）

鵲の尾のぴりぴりと初御空　広渡敬雄

有明海湾奥部のみに棲息し、夏に遡上して産卵するが、淡白で繊細な味が通に好まれる（楸邨）、筑後川畔に鎮座する安産の神の総本宮、日覆をした舟が接岸するのだろうか（青畝）、青木繁と同齢、放牧馬の画で知られる繁二郎の絶筆の満月、来世を描いたものだろう（六弥太）、終生故郷で画作に励んだアトリエ、まるで繁二郎の姿が見えるようだ（公江）。

㊲木頭柚子（徳島県那賀町）

▲柚子の実

原産地は揚子江上流で飛鳥時代に渡来、互生の葉腋には棘があり、初夏に白い花が咲き、晩秋にはでこぼこの扁球形の実が生る。四国（高知、徳島、愛媛）が国産柚子の八割を占める。徳島県那賀町木《き》頭《とう》地区は、成長が遅い柚子を改良し、農業のノーベル賞・「朝日農業賞」を受賞し、全国ゆずサミットを開催、木頭柚子のブランドで高級料亭等でも評判高い。

いたつきも久しくなりぬ柚は黄に　夏目漱石
（修善寺温泉）

色慾もいまは大切柚子の花　草間時彦

柚子の香の柚子をはなるる真闇かな　正木浩一

柚子湯出て夫の遺影の前通る　岡本　眸

香味・酸味の調味料の常緑樹

柚子ひとつづつ湯へ放りこめる音　山尾玉藻

いつさいを柚子湯に沈め生家なり　辻　美奈子

柚子黄色いくつもいくつも空にあり　上田信治

柚子百の淑気雀の影跳ねて　佐怒賀直美

袋膨らむ鬼柚子をふたつ入れ　井越芳子

胃潰瘍の大吐血で療養も長くなったとの思い（漱石）、老齢の身のしみじみとした自愛の感慨（時彦）、闇の中、香りを通しての柚子の存在感（浩一）、良い湯だったね！と遺影の夫が語りかけているような（眸）、普段の夫の湯槽での仕草とも解せるが、癌告知間近と知ると切ない（玉藻）、身体のみならず、何もかも生家の柚子湯に沈めリセットする（美奈子）、晩秋の青空、黄色く色づいた柚子が眩しい（信治）、びっしりと生った柚子の手前で雀が遊び、穏やかな正月（直美）、直径二十センチの鬼柚子、さてどう料理するか、正月の飾りにするか、心が踊る（芳子）。

那賀町木頭地区は剣山を源流とし、四国第一の清流木頭川（後に那賀川に合流）流域にある。その下流域の阿南市から南には鶴林寺、太龍寺、平等寺、薬王寺の四国八十八か所札

▲柚子畑（写真提供：株式会社 黄金の村）

所が続き、広々とした太平洋に沿って、日本有数の海亀産卵地日和佐、年に十万人が来訪するむろと廃校水族館、空海が悟りを開いた御厨人窟《みくろど》を経て室戸岬、高知に至る。

霧走り戸を立て剣小屋閉ざす　岡田日郎
（剣山・一九五五メートル）

峡空と競いて澄むや木頭川　高野心灯
（那賀川上流）

柚子もぐや道を斜めに峡の家　山田真砂年

柚子の香の動いてきたる出荷かな　西山　睦

お遍路の冬あたたかきことを言ふ　岩岡中正

夏怒濤ここもとほくのひとつなり　野口る理

大海亀空のかなたに去りにけり　広渡敬雄
（日和佐の大浜海岸）

石鎚山に次ぐ西日本第二の高峰は冠雪が早く小屋仕舞も早い（日郎）、清流木頭川流域の山峡の柚子採（心灯、真砂年）、捥いだ柚子を入れた箱を運び出す際にも芳しい柚子の香が広がる（睦）、温暖な四国でも、殊に阿南から室戸岬、高知市への遍路道は真冬でも暖かく有難い（中正）、夏怒濤は、津波碑もある故郷日和佐の太平洋の原風景の記憶でもあろうか（る理）、産卵後沖に帰る大海亀、その後孵った子亀が一斉に海を目指す景は圧巻である（敬雄）。

㊳防風屋敷林（出雲の築地松）

日本各地には、家屋、農地・鉄道・海岸の防風林、防雪林がある。出雲平野では、上端を一定の高さで水平に刈り揃えた（陰手刈《のうてご》り）、「緑の屏風」と言われる黒松の築地松（屋敷林）で冬の季節風、夏の西日を防ぐ。散居村で名高い礪波平野は、家の周りを「カイニョ」という屋敷林で囲み風雪避けとする。また北関東・東北の屋敷林「居久根《いぐね》」や武蔵野台地も知られ、十勝平野では、農地の土壌を風蝕から守る防風林が縦横に植えられている。

築地松その外側の冬菜畑　高木晴子
あたたかや道に傾く屋敷林　山本洋子
屋敷守る松に囲まれ手毬唄　柴田佐知子
ふくろふの啼くや明日は地鎮祭（屋敷林開発）　星野恒彦
色変へぬ松のこぞりて防風林　鷹羽狩行
夕蟬の音に総立つ屋敷林（礪波野）　宮田　勝
屋敷林越しの青田の匂ふなり（筑波颪の強い地域）　今瀬一博

出雲や礪波・十勝平野の防風林

じぐざぐのつゞく緑陰防風林（十勝平野）　安田豆作

黒松が多い出雲の屋敷林、周りの畑には、寒風の中冬菜が育つ（晴子）、風もない暖かな日和、冬の強風で少し道側に傾いた屋敷林だろうか（洋子）、屋敷松の家から出雲の子守唄が聞こえて来る（佐知子）、翌日に切り倒される屋敷林に棲む梟が淋しく啼く（恒彦）、延々と続く海岸の白砂青松は風のみならず砂も防ぐ（狩

▼十勝平野の防風林

行）、礪波平野の夏の屋敷林、屋敷に轟かんばかりに夕蟬が鳴き続ける（勝）、常陸野の田植後の眩しい景に屋敷林は存在感がある（一博）、十勝地方幕別町在の作者、広大な十勝平野の夏の防風林の緑陰を詠う（豆作）。

島根県の東部の出雲は、古代から出雲族の勢力の拠点として、古事記の神話に数多く描かれる。多くの神社の中心である縁結びの神・出雲大社が知られ、古くからの斐伊川等の砂鉄採集・製鉄（たたら工法）も継承されている。銅剣出土数最多の荒神谷《こうじんだに》遺跡、宍道《しんじ》湖の蜆、白魚、公魚漁業、大名茶人松平不昧公の国宝松江城天守閣や小泉八雲旧居も名高い。

◀礪波野の屋敷林カイニョ（写真提供：宮田勝氏）

くらやみに水落つ音や大社みち　飯田蛇笏
秋風や模様のちがふ皿二つ　原　石鼎
すくも焼く出雲の国の香なりけり　岡井省二
はつゆめの半ばを過ぎて出雲かな　原　裕
百日紅ヘルンの煙管見ていづる　飴山　實
（小泉八雲旧居）
霰雲くる宍道湖のかいつぶり　石原八束
初しぐれ鞴《ふいご》祭の近づきぬ　広渡敬雄

出雲大社の夜の参道の景（蛇笏）、簸川《ひかわ》郡塩冶《えんや》村（現出雲市）の医家に生まれ、後に「鹿火屋」創刊主宰の石鼎、仮寓の寺の夫人との苦境の恋の句と言われる（石鼎）、枯れた葦を焼く匂いは古代からの出雲の香（省二）、石鼎に師事し、その原風景の出雲が、自らの精神風景となった詠嘆の下五である（裕）、愛煙家で煙管を愛用したハーン（ヘルン）の松江時代を偲ぶ（實）、寒々とした鳰を通しての宍道湖の初冬の景（八束）、たたらの伝統を今も伝える行事（敬雄）。

㊴楮・三椏（越前市今立町）

▲三椏の花

神發ちてただに楮の吹かれをり　田中裕明
まぶしさのいよよ楮を晒す水　渡辺純枝

一五〇〇年の歴史、越前和紙の原料

楮は桑科コウゾ属の落葉低木、葉は互生し初夏に赤い実を付け、ジャム、ケーキの果実、果実酒になり、硬い樹皮が古くから和紙や日本髪、相撲の大銀杏の元結の材料となった。

涼しさや楮の香る吉野紙　長谷川櫂

神無月に葉を落とした楮、いよいよ茎を刈り取り、蒸した後黒皮を剝ぎ取る作業が始まる（裕明）、剝ぎ取った黒皮を削り、白楮を清流の水に浸けて晒す。水も白楮も眩しい（純枝）。吉野和紙の爽やかな肌触りは、楮のほのかな香りとともに涼しさを深める（櫂）。

三椏はジンチョウゲ科ミツマタ属の落葉低木。枝が三つに分岐するためこの名がある。三～四月、葉に先立って黄色い球状花序をつけ、樹皮は和紙や紙幣用紙の材料になる。

三椏の蕾の礫びかりかな　山西雅子
三椏の蕾ますます眠くなり　宮本佳世乃
三椏の花三三が九三三が九　稲畑汀子
消炭に雨三椏の花咲けり　中村雅樹

三椏の開花前の蕾は赤子の拳のようで、黄色く礫光りで眩しい（雅子）、春光の中、びっしりと群れた蕾を見つめていると確かに眠くなる（佳世乃）、三椏の花を代表する句、リズム感と遊び心が楽しい（汀子）、春雨に濡れた消炭の黒い艶と三椏の花の眩しい黄色が対照的である（雅樹）。

越前市は福井県の中部に位置し、旧越前国府・武生市と和紙の里今立町が合併して発足した市。武生には越前国司の父藤原為時に同行した紫式部を記念した紫式部公園がある。

今立地区の越前和紙は一五〇〇年の歴史を有し、天平二（七三〇）年の聖武天皇の時代に宮廷で使われ、奉書紙や福井藩札を経て明治の太政官札にもなった。全国紙業界の総鎮守大瀧神社・岡太神社は和紙の神様（紙祖神）が祀られ、「和紙の里」として、パピルス館（紙漉き体験）、卯立工芸館（紙漉き見学）、文化博物館（越前和紙資料館）がある。

▲楮の実（写真提供：石田郷子氏）

しぐるるや日野山を向く式部像（紫式部公園）　中村玲子

吾亦紅挿すや越前流し漉き（人間国宝岩野家）　石原八束

紙漉の宮の神鏡磨きゐる（大瀧神社・岡太神社）　鈴木太郎

三椏を蒸し雪の谷甘き香に　宮津昭彦

漉く水のほの暗き水かさねたり　矢島渚男

紙漉きの半日の手湯粘りけり　綾部仁喜

漉き舟を吊る竹撓ふだけ撓ひ　能村研三

紙漉きの一灯水を平にす　広渡敬雄

式部が和歌に詠った日野山（越前富士）（玲子）、魁夷画伯の唐招提寺の障壁画紙にもなった紙漉場の景（八束）、底冷の中での作業は厳しい紙漉にも通じる（太郎）、雪深い紙漉きの里の三椏を蒸す甘い匂いが出色（昭彦）、紙漉きの白濁に加える水がほの暗いとは鋭い（渚男）、粘りを出すための黄葵《トロロアオイ》が手に粘りつく（仁喜）、紙漉きの厳しい仕事を吊る竹の撓りで詠う（研三）、一心に紙を漉く日暮れの早い紙漉場。灯が点ると水とも紙とも言えぬ液が浮かび上がる（敬雄）。

食用果汁の香酸柑橘類

㊵檸檬（尾道市生口島）

檸檬は、ヒマラヤ東部が原産のミカン科ミカン属の常緑低木。枝に棘があり、厚みのある菱形の葉で、白ないしピンクの強い香の花が咲く。明治六年に渡来し、食生活の洋化に伴い消費が増え続け、温暖で夏場には乾燥する瀬戸内海地方で多く栽培された。

レモンの輸入自由化で大打撃を受けたが、食の安全性や高い品質で国内産も盛り返し、広島県（生口島、大崎下島等）や愛媛県（今治市）が生産の過半を占める。ビタミンCに富み、ジュース、レモンスカッシュ等の清涼飲料水や、砂糖と合わせて製菓材料にもなる。

ひとつ年取る檸檬の花が白と知り　駒木根淳子
春の夜の檸檬に触るる鼻の先　日野草城
檸檬の木ありしが更地冬ざるる　岩田由美
冥王星《プルートー》けぶる檸檬をしぼるとき　橋本喜夫
檸檬一滴二楽章始まりぬ　浦川聡子
檸檬は鳥類てのひらで眠る　秋尾　敏
檸檬齧りゐたりケルンを積みゐたり　加藤三七子
まだ草の色を残せし檸檬かな　山田佳乃

牡蠣にレモン滴らすある高さより　正木ゆう子

檸檬の強い香りの花が咲く頃が誕生日の作者（淳子）、甘美な艶麗な感覚の鋭さ（草城）、檸檬の黄色の実が眩しかった地が更地になり、冬の寂寥感が募る（由美）、檸檬を搾った時の飛沫が、星雲の中の冥王星に重なる（喜夫）、紅茶に檸檬を滴らせ第二楽章へ心豊かなひととき（聡子）、詩的な見立てが鮮やか。鸚哥か金糸雀か（敏）、かつて登山の定番だった檸檬の、脳裏に永久に刻まれた酸っぱさ（三七子）、黄になる前の檸檬を草の色とは意表を突き青春性もある（佳乃）、高くも低くもなく、その人なりの滴らす高さへの気付きと視点（ゆう子）。

尾道市は古くから海運業で栄え、千光寺・浄土寺他の古刹や文学のこみち（志賀直哉、林芙美子

▼レモン（黄）

等）で知られる。市街から向《むかい》島、因《いんの》島、生口島（以上広島県尾道市）、大三島、伯方《はかた》島、大島を経て今治市街（以上愛媛県）への「しまなみ海道」で知られている。造船業の因島、国産レモン発祥の地碑、耕三《こうさん》寺、日本画家・平山郁夫美術館がある生口島が名高い。

寒暁に鳴る指弾せしかの鐘か　（千光寺）　山口誓子

◀生口島（檸檬生産高日本一）レモン谷のグリーンレモン
（写真提供：一般社団法人　尾道観光協会）

菊月や備後表の下駄買はむ　鈴木真砂女

坂の町尾道の子へお年玉　西村麒麟

船造る槌霞むなり因島　阿波野青畝

うちうみに日の落ちてこぬ檸檬かな　板倉ケンタ

航跡のしだいに月の海に溶く　広渡敬雄

檸檬齧りてこの島を出る覚悟　（大三島）　稲田眸子

戯れに指で弾いた千光寺の鐘を宿で寒暁に聞く感慨（誓子）、畳表（藺草の茎を麻糸で織った茣蓙）の備後表の生産でも名高い尾道、さすがに真砂女である（真砂女）、高校まで過ごした街を離れて二十年、帰省してお年玉をあげつつ、尾道を賛美する（麒麟）、春霞の中、造船不況から立ち直った工場の槌音（青畝）、瀬戸内海、落日の外海の反対側の斜面に広がる檸檬畑を描く（ケンタ）、船の行き来が絶えない瀬戸内海、過ぎゆく航跡は、満月の照らす海に溶けてゆく（敬雄）、檸檬を齧り、夢を求めて島を出る自身のほろ苦い覚悟を詠う（眸子）。

㊶ 橡（奥会津・檜枝岐と尾瀬）

葉も花も大柄、栃餅の材料

▲橡の実

橡はトチノキ科の落葉高木でほぼ全国に分布し、大形の葉は掌状複葉、初夏に大きな円錐花序の白い花が咲く。栗に似た栃の実の強い灰汁抜きは高度な技術と根気が要り、食するのは日本のみ。熊の好物でもある。公園・街路樹の他器具材・楽器材等にも活用される。

山鳥の諍ひみじか橡の花　髙柳克弘
父祖の地に従兄が一人橡の花　谷口智行
栃の葉の裂けて秋めき亘りけり　石塚友二
橡の実を踏んで傾く昼の月　小島　健
栃餅の歯切れよろしき女正月　村上麓人
男衆出掛けてをるで橡の餅　如月真菜

縄張り、恋争いの鳥声も静まり、橡の花が眩い（克弘）、父世代も亡くなり、従兄一人の父祖の里、橡の大木は変わらず花を咲かせる（智行）、朴とともに代表的な巨葉の栃の葉が裂け、秋も本格化する（友二）、大きな橡の実を踏んでよろめいた目に昼の月が印象的（健）、岸田劉生門下の画家村上巌は、波郷に師事し「鶴」の表紙絵も描いた。灰汁抜きに手間と時間をかけた栃餅を食べつつ、女正月を楽しむ（麓人）、くすっとさせる女性たちの歓談が盛り上がる（真菜）。
檜枝岐《ひのえまた》は、会津上州を結ぶ沼田街道の要で、銀山平を経て越後とも通じ、江戸時代からの歌舞伎、栃餅・蕎麦でも名高い。百名山の至仏山・燧《ひうち》ヶ岳に囲まれた尾瀬ヶ原は、日本最大の高層湿原で年間三十万人のハイカーが訪れ、水芭蕉、ニッコウキスゲ等を楽しむ。

田じまひの会津も奥の藁埃　榎本好宏
夕暮のいつしか真闇村歌舞伎　永瀬十悟
（江戸時代からの檜枝岐村歌舞伎）
橡の実や風にさびたる診療所　鎌田　俊
尾瀬沼に響きてふたつ鳰の笛　染谷秀雄

秋風やいただき割れし燧岳　福田蓼汀
落葉松を駈けのぼる火の蔦一縷　福永耕二
立ちしまま憩ふ歩荷や白き虹　広渡敬雄
木道をすれ違ふとき枯野踏む　抜井諒一
奥利根のつひに橋なし紅葉狩　皆吉爽雨
天狗山大瑠璃の声ころがれる　鈴木多江子
（沼田市迦葉山弥勒寺・中峯堂）
郭公や地図で見るより長き坂　鶴岡加苗

寒冷な棚田の奥会津、藁埃を纏った服で秋の収穫を祝う（好宏）、村歌舞伎は観光客も加わり賑わうが、周りの闇は深い（十悟）、寒冷な風雪で診療所の屋根も傷む（俊）、尾瀬沼は様々な鳥の宝庫（秀雄）、東北以北最高峰の双耳峰の頂から四囲の山々、眼下に尾瀬沼、尾瀬ヶ原が広がる（蓼汀）、尾瀬にて青春性溢れる自身の情熱を一本の蔦紅葉に託して詠う（耕二）、朝霧の尾瀬ヶ原、身長の倍の荷を担う歩荷が幻想的な白虹《はっこう》を憩いつつ眺める（敬雄）、湿原には二本の木道があるが、偶に一本のみの木道での擦れ違いの一齣（諒一）、群馬側の利根川源流の紅葉狩、ついに橋もなくなり少し濡れつつ渡渉する（爽雨）、鞍馬寺、高尾山薬王院とともに日本三大天狗、大瑠璃の澄んだ美声に天狗様もご満悦だろう（多江子）、群馬側から尾瀬に入る鳩待峠、大清水からも意外に坂が長く遠い（加苗）。

▼橡の花

▼橡の実

㊷ニセアカシア（秋田県・小坂町）

花が貴重な蜜源の渡来落葉高木

通称アカシアや針槐と呼ばれるマメ科ハリエンジュ属の落葉高木。初夏に総状花序を垂らし芳香ある白い蝶形花が咲く。吉村昭の小説「蜜蜂乱舞」は、早春の鹿児島から初秋の北海道まで、花を求め日本列島を北上する養蜂家を描くが、紫雲英、菜の花、蕎麦やシナノキ、橡とともに主要な蜜源植物である。公園樹・街路樹・砂防樹や薪炭にも活用される。

風塵のアカシヤ飛ぶよ房のまま　阿波野青畝
満月に花アカシアの薄みどり　飯田龍太
アカシアの花の五月の能登に来て　能村登四郎
蜂飼の瞳にあかしあの花ざかり　原　裕
針槐風とどまればにほひたつ　深谷雄大
いつも日暮アカシアの花仰ぐのは　石田郷子
夜晴れてニセアカシヤの散りざかり　池田澄子

初夏の強風に砂塵とともに房ごと飛ぶアカシアを活写（青畝）、満月下、白い花に瑞々しい葉が透けるのだろうか（龍太）、青々した初夏の能登の海に、白い花が映える（登四郎）、しばらくここに留まり山々のアカシアの花蜜を戴く（裕）、ライラックのあとアカシアが北海道の初夏を彩る（雄大）、アカシアが咲く頃の夕暮れは一年で一番良い季節（郷子）、アカシアが夜も散りしきり、真白に地を覆い、あたりを芳香で満たす（澄子）。

秋田県北東の青森、岩手県と接する小坂町は、江戸時代から平成二年まで、硫化鉱（クロコ）を産出、日本有数の金銀銅亜鉛に精錬され、煙害防止にアカシアが植林され三百万本も繁茂している。閉山後は、西洋建築の旧小坂鉱山事務所と和洋折衷の芝居小屋の康楽館は国の重要文化財となり、「小坂町の花」であるアカシアが満開の六月、環境省選定「かおり風景百選」の明治百年通りは観光客で賑わう。和井内貞行の姫鱒養殖の十和田湖、秋田犬の大館市も近く、米代川流域の秋田杉は青森ヒバ、木曾ヒノキとともに日本三大美林である。

▼小坂町・アカシア通り

▲ニセアカシアの花（写真提供：小坂町観光産業課）

春蟬や鉱山《やま》の鎮めの神は古り　伊藤翠波
山々をあたたむる雪降りにけり　山本一歩
秋田杉の香を積む釣瓶落しの日　柴田白葉女
アカシアの花洋館の高き窓　岸原清行
（旧小坂鉱山事務所）
廃坑の縁熊撃ちの登りゆく　森岡正作
蜜蜂に倒木のやはらかくあり　飯田　晴
幟立つ柿《こけら》落しや花槐　広渡敬雄
（康楽館）

江戸時代から地元で「山神《さんじん》さん」と親しまれる小坂鉱山の守り神、雪も解けいつも通り春蟬が鳴き始める（翠波）、深い雪に包まれるみちのく。冬眠の動物・植物また暮らす人への思いを籠めた意表を突く発想（一歩）、秋田杉を切り出し貨車に詰め込む作業、晩秋の駅に杉の香が漂う（白葉女）、アカシアで名高い中国山東省で幼年期に育った作者、郷愁を覚える洋館と針槐に往時を偲ぶ（清行）、冬眠明け間近の熊を狙ってマタギの一団が根雪の山に入る（正作）、橡や槐の花蜜をたっぷり吸った蜜蜂。巣箱に戻る前に少し安らいでいるのだろうか（晴）、鉱山労働者と家族の娯楽のために明治の末に建築の芝居小屋、閉山後の解体の危機を乗り越え、リニューアルして復活し連日歓声の花道が眩しい（敬雄）。

㊸楓（大阪府箕面の森）

「箕面の森」を四季に彩る

板塀に道しづかなり若楓　小川軽舟
伯母逝いてかるき悼みや若楓　飯田蛇笏
若楓おほぞら死者にひらきけり　奥坂まや
青葉風静まりに葉の遅れけり　相子智恵
もみぢはや楓の下のこぼれ苗　飴山　實

▲若楓

楓はカエデ科の落葉高木。鮮やかな若葉と紅葉の代表樹であり、単にモミジと言えばイロハモミジ（イロハカエデ）を指す。ほぼ日本全土の山野に自生する他、庭木、公園樹、盆栽となる。葉は対生で掌状、初夏枝先に散房花序を出し、暗紅紫色に花を咲かす。

口上や花楓降る村歌舞伎　加藤耕子
若楓鏡の中をそよぎけり　山崎祐子
打ち交し打ち交しつつ楓の芽　行方克巳

楓の花が降る中、口上も朗々と伝統ある村歌舞伎が始まる（耕子）、作者にとって至福の時間（祐子）、楓の芽吹いた枝が、風で打ち合いながら新緑となる（克巳）、若楓が鮮やかな板塀の細い路地は、作

▼楓の花（写真提供：山岡喜美子氏）

者の少年期の原風景（郷愁）だろうか（軽舟）。長寿を全うした伯母への労りに若楓が眩しい（蛇笏）、亡くなった故人への沈痛の気持ち、若楓の映える青空で救われ、故人も作者も明るく癒される（まや）、爽快な強めの青嵐が収まってもまだ葉は揺れている（智恵）、実生の小さな楓の苗が育つ中、楓紅葉が始まろうとしている（實）。

　大阪府北部の箕面市には、奈良時代初期創建の名刹勝尾寺（西国二十三番札所）がある。明治四年に東京・高尾山とともに日本最古の公園地（後に府立箕面公園）となり、昭和四十二年には、「明治の森箕面国定公園」に指定された。高尾山への全長一四四〇キロの「東海自然歩道」の起点で、高さ三十三メートルの箕面大滝（日本の滝百選）が知られる。

瀧の上に水現れて落ちにけり　後藤夜半
（日本新名勝俳句・滝の部金賞）

くるま駆る勝尾寺までの山紅葉　高濱年尾

掃かれたる境内をゆく焚火かな　加藤哲也

大滝に至り著きけり紅葉狩　波多野爽波

瀧の上に水現れてすぐ落ちず　後藤比奈夫

滝壺を出て水音をやりなほす　小池康生

裏返りつつ沢蟹の遡る　広渡敬雄

椎の木の実を増やしつつ静かなり　鳥居真里子

スローモーションのように滝の水の落下を描き、人口に膾炙する句（夜半）、箕面の楓紅葉への心の高ぶり（年尾）、勝尾寺境内、掃き集められた落葉も焚火に加えられる（哲也）、沢に沿った約三キロの紅葉の箕面滝道の終点の大滝（爽波）、父の句への切返しに思わず喝采、大阪人の上質な俳味（比奈夫）、轟音とともに滝壺に叩きつけられた水、これからは静かに下る（康生）、水圧で裏返りながらも遡りゆく沢蟹の必死の生態には目頭が熱くなる（敬雄）、温暖化で、箕面の森も落葉樹林から照葉常緑樹林（椎・樫・楠）に変わりつつある（真里子）。

▼楓紅葉

㊹富士・青木ヶ原樹海　平安初期大噴火の溶岩台地の森

青木ヶ原樹海は、富士山の北の裾野に広がるわが国を代表する樹海。東西六キロ南北八キロにも及ぶ森は、海原のようだ。極相林と呼ばれ、ツガ、ヒメコマツ等の針葉樹とブナ、楓等の広葉樹が共生する混合林で、縦横に整備された遊歩道がある。鳴沢村は、夏も寒いほどの風穴（溶岩洞）、富士山・樹海・三湖の大展望台である三湖台や紅葉台で知られる。

初富士や樹海の雲に青鷹　**飯田蛇笏**
オリオンが移る樹海の霜夜かな　**渡辺水巴**
驟雨来樹海の波をうち鳴らし　**桂　樟蹊子**
風穴へ根雪踏み行く樹海かな　**波戸岡　旭**
樹海にも知恵あるごとし紅葉の斑　**能村研三**
綿虫飛ぶ山湖樹海をまなかひに（三湖台）　**守屋明俊**

裏富士（山梨県）在の蛇笏の格調高い自然詠（蛇笏）、満天の冬空、オリオンが暗い樹海に被さり来る（水巴）、広大な樹海をけぶらす驟雨の音も凄まじい（樟蹊子）、風穴の中の温度は通年零度から四度で、酷寒期だと暖かい（旭）、鬱蒼としたやや暗い樹海にも、造化の妙（樹海の知恵）で安らぎを感じさせる紅葉の樹が、調和良く疎らに配置されている（研三）、綿虫の飛ぶ初冬、西湖と精進湖と本栖湖が一度に眺められ、広大な青木ヶ原樹林、そしてその奥には冠雪した雄大な富士山が凛々しく聳え立つ（明俊）。

富士山はわが国最高峰、秀麗な山容で、世界の名山として外国人を含め毎年二十万人超が登攀する。平成二十五年、「富士山—信仰の対象と芸術の源泉」として世界文化遺産となった。万葉集時代から〈田子の浦ゆうち出でてみれば真白にぞ富士の高嶺に雪は降りける〉（山

▼青木ヶ原樹海

▲鳴沢村の紅葉台からの富士山と青木ヶ原樹海（写真提供：鳴沢村役場企画課）

部赤人）と詠われ、江戸時代以降「御師」先達の富士講や都内各地の富士塚も知られる。新田次郎の小説「芙蓉の人」で名高い剣が峰の気象観測所は、現在は無人化している。

不二ひとつうづめ残して若葉かな　与謝蕪村
赤富士に露滂沱たる四辺かな　富安風生
一本の鬉初富士を支へたる　皆吉爽雨
たてよこに富士伸びてゐる夏野かな　桂　信子
山開きたる雲中にこころざす　上田五千石
まほろばの富士ひびかせて野火たたく　恩田侑布子
星飛びし空に影富士ありにけり　広渡敬雄

富士山麓から森林限界まで一気に新緑が伸びる景を鮮やかに描く（蕪村）、葛飾北斎の「凱風快晴」で名高い晩夏の裏富士が朝日で真っ赤に染まる現象、毎年山中湖で過ごし、赤富士を季語とした風生、会心の一句（風生）、頂上直下より大崩壊の大沢崩れ、その鬉が初富士を支えるとは、大胆な発想（爽雨）、ストレートに詠み切ったまさに富士山！（信子）、毎年参加する山開き、生憎の雲だが、頂上を目指す思い、俳句への思いには聊かの迷いもない（五千石）、富士山麓の野焼きであろうか。古来から崇拝される富士、畏敬を込めて野火を宥めつつ草原を守る（侑布子）、剣が峰やお鉢巡りで見られる影富士は富士登山者だけの特権で醍醐味（敬雄）。

㊺仏桑花（沖縄）

沖縄の鮮やかな熱帯性常緑花樹

▲黄のハイビスカス

中国南部原産のアオイ科フヨウ属の熱帯性低木。扶桑花、ハイビスカス、また沖縄では赤花《アカバナー》とも言われ、庭木、生垣、また南部では、死者の次の世の幸せを願って墓（亀甲墓）に植える習慣がある。葉は広卵形や楕円形で先端は尖り、夏から秋にかけて赤や黄色の花が咲く。

仏桑花濡れ墓かわく夕立晴　山口青邨
空灼けてゐねばハイビスカス萎む　後藤比奈夫
仏桑花被弾残塁かくれなし（首里城跡）　藤田湘子
扶桑花が鬼火に見ゆる蛍の喪　齋藤愼爾

海の紺ゆるび来たりし仏桑花　清崎敏郎

殆どが沖縄で詠まれた句群。炎暑の夕立後、仏桑花はまだ濡れていても亀甲墓は既に乾ききっている（青邨）、炎天こそ仏桑花の馳走で生き生きと咲き誇る（比奈夫）、昭和四十年の本土復帰前の沖縄、鎮魂の言葉を残さねばと誓ったと自解にある（湘子）、死に絶えた蛍の亡骸に、真昼の華やかな仏桑花が、出棺の折の門火（鬼火）のように咲いている（愼爾）、真昼の炎天の時は沖縄の海も紺が深いが、そろそろ夕暮れが近付いたのだろうか（敏郎）。

沖縄は九州から台湾の約一三〇〇キロに弓状に並ぶ島々からなる。尚家琉球王朝は中国、薩摩（日本）と両属関係を保ち、独特の沖縄文化が形成された。明治十二年「沖縄県」となり、太平洋戦争では甚大な被害を受け、摩文仁《まぶに》の丘、ひめゆりの塔の悲劇で知られる。

常夏の碧き潮あびわがそだつ　杉田久女
炎帝につかへてメロン作りかな（首里・尚家の桃原園《とうばる》（農園））　篠原鳳作
雲暑し摩文仁死の山何呼ばむ　石原八束

島の土堅く苦瓜棚低し　沢木欣一

エイサーの初め指笛ものものし　佐藤郁良
（旧暦七月十五日の夜の盆踊）

四温晴れ終生首里にふとん干す　岸本マチ子

落雷の闇掘り起す亀甲墓　豊里友行

ひめゆりの塔ぬらさずに白雨過ぐ　上田日差子

糸瓜棚暑くなる日の雲の形　安里琉太

シーサーの門ある家の雛祭　広渡敬雄

少女時代を那覇で暮らした久女の原風景の紺碧の海（久女）、東大卒業後、姉を頼って沖縄那覇に渡り新設の宮古中学に赴任。掲句は沖縄王家農園のメロン栽培を詠み、その後、〈しんしんと肺碧きまで海の旅〉等不朽の名作を残した夭折の新興俳句の旗手（鳳作）、沖縄戦終局の地での絶唱（八束）、低い苦瓜《ゴーヤー》棚と堅土も沖縄ならでは（欣一）、盆踊りの始まりの澄んだ厳かな指笛（郁良）、群馬県から移り六十二年、沖縄の風土を詠み続ける（マチ子）、亀甲墓の霊を呼び起こすような落雷を、写真家でもある視線で詠う（友行）、皆涙を流すひめゆりの塔、白雨も遠慮して避けたのだろうか（日差子）、沖縄出身の若き俳人、ナーベーラーと言われ暑を乗り切る糸瓜の味噌煮は、沖縄の代表食である（琉太）、沖縄民家の屋根や門に据えられる魔除けの石獅子像（敬雄）。

▼ハイビスカス（写真提供：倉田有希氏）

㊻プラタナス（神田界隈・街路樹）

都市街路樹の主役・〈鈴懸の木〉

▲プラタナスの葉

日本には明治末期に渡来した樹高二十メートルにも達する落葉高木。樹皮は緑褐灰白色の斑模様、葉は掌状で五～七に中裂、直径三センチの球形の実が複数生る。都市の公園樹、また公孫樹、欅とともに街路樹として多く植えられた。殊に関東大震災で壊滅的被害を受けた都内では、精力的に植栽され「都会の風景」の象徴ともなった。

プラタナス夜もみどりなる夏は来ぬ　石田波郷
プラタナス黄葉の下にメトロの灯　大崎紀夫
すずかけの木の芽に会ひに行くといふ　藤本美和子
ヒポクラテスの鈴懸青実無尽なり　檜山哲彦
（医学部）

すずかけの街さわがせてコップ割れ　対馬康子
（米国コネチカット州）
鈴懸の鈴の実あをし巴里祭　村上鞆彦

昭和七年、俳句で生きんと十八歳で松山より上京、師水原秋櫻子宅、「馬酔木」発行所、通学の明治大学等の界隈は、震災後に植えられたプラタナスの街路樹も成長し、意気揚々たる作者には眩しい（波郷）、地下鉄の出入口の灯にプラタナスの黄葉が美しい（紀夫）、戦時中に大ヒットした灰田勝彦の歌う「鈴懸の径」を偲ばせる（美和子）、医学の父ヒポクラテスはギリシャ・コス島の鈴懸の樹下で講義をしたと言われ、その苗が日本各地の病院・医学部に植樹された（哲彦）、治安が不安定な昭和五十年代の米国、夫君のイェール大学大学院留学に同行時の作（康子）、鈴懸の実は、マロニエの花とともに巴里祭に似合う（鞆彦）。

▲プラタナスの実

神田川祭の中をながれけり　久保田万太郎
蕎麦好きの神田育ちや梅雨夕餉　水原秋櫻子
七月のニコライの鐘鳴りにけり　磯貝碧蹄館
（お茶の水・日本ハリストス正教会）
お茶の水駅にすぼめる雪の傘　川崎展宏
（駿河台）
救世軍本営前の社会鍋　蓼目良雨
（神田神保町）

ボーナスを自分に出してみて淋し　伊藤伊那男
（神田神保町）
鮟鱇の凍てても思案顔なりし　星野高士
（神田いせ源）
東京は西に山なす新酒かな　広渡敬雄
街路樹と庭木触れ合ふ夜涼かな　望月　周
海辺からつらなる窓の寒い都市　鴇田智哉

▲神田神保町街路樹

神田明神の山車と神輿は隔年の大祭で界隈を練り歩く（万太郎）、神田猿楽町のちゃきちゃきの江戸っ子（秋櫻子）、聖堂の鐘が梅雨晴れの街に響き渡る（碧蹄館）、明治大学教授として通う雪の日の景（展宏）、募金呼びかけの声も年末の風物詩（良雨）、長年のサラリーマンを勤め上げた後、居酒屋「銀漢亭」を開業、俳人のメッカとなったが、令和二年、十七年間の営業を終えた（伊那男）、天保元年創業の都内唯一の鮟鱇専門店（高士）、関西（伏見・伊丹・灘）の下り酒を嗜んでいた江戸っ子だが、多摩川上流の五日市、青梅の銘酒も徐々に普及した（敬雄）、神田界隈の木造の家屋は近年殆ど消えたが…（周）、新宿や都心あたりに限定の高層階ビルも、最近は臨海部から神田・御茶ノ水辺りまで及ぶ（智哉）。

㊼柿（法隆寺）

日本の秋を彩る落葉高木

中国原産で、樹高十メートルにも達する落葉高木。樹皮は灰褐色、葉は互生で広楕円形、六月頃黄緑を帯びた白い花をつけ、実は晩秋に黄赤色に熟し食用となるが、甘いもの渋いものがある。古くから果樹として広く栽培されており、富有柿、次郎柿、甘百目等がある。

子規よりも多くの柿を食ひ得しか　相生垣瓜人

柿若葉多忙を口実となすな　藤田湘子

子規にありし短気と根気柿二つ　大串　章

これもまた豊食饌《とよみけ》の一柿ひとつ　横澤放川

渋柿といひ柿の実にふれゆける　石田郷子

干柿の種のぬるりと出できたる　齋藤朝比古

百年は死者にみじかし柿の花　藺草慶子

梃子でも動かぬと卓上の柿一顆　山下知津子

▲柿の花

飄逸味ある独特な句境「瓜人仙境」で大家も唸らせた蛇笏賞作家、確かに八十六歳までの長命であれば、健啖家の子規も超えるとくすりとさせる（瓜人）、透けるような萌黄色の柿若葉、仕事に追われる自身への諫め（湘子）、膨大な数の俳諧を根気よく選び編集する反面、母妹には当たり散らした子規、柿に託してその二面性を詠う（章）、伊勢神宮への神饌には鮑、昆布、塩、米とともに柿もあった（放川）、渋柿への微妙な心理をさりげない行為で詠う（郷子）、ゼリー状の果肉から出てきた種、オノマトペも見事（朝比古）、目立たぬ柿の花を配し、生きている者には長い百年も、死者には刹那と亡き人への思いを詠う（慶子）、卓上の柿一顆は作者自身。その確固たる信念を代弁する（知津子）。

▼青柿

◀柿（写真提供：倉田有希氏）

奈良県大和盆地西部・斑鳩町にある法隆寺は、聖徳太子建立の世界最古の木造建築物で、南都七大寺のひとつ。一四〇〇年近い風雪に耐えた大伽藍を誇り、長い松並木の参道から南大門を入ると金堂、五重塔、大講堂、回廊のある西院と夢殿の東院がある。釈迦三尊、百済観音、玉虫厨子、救世観音等三十八個の国宝を誇る日本美術の一大宝庫である。

柿食へば鐘が鳴るなり法隆寺　正岡子規
村の名も法隆寺なり麦を蒔く　高濱虚子
春惜むおんすがたこそとこしなへ（百済観音）　水原秋櫻子
法隆寺からの小溝か芹の花　飴山　實
夢殿の夢のつづきの松朧　鍵和田秞子
斑鳩の仏のまなこ豆の花　栗林　浩
水澄むや物皆古き法隆寺　岸本尚毅
豊の秋大和三山高からず　広渡敬雄

法隆寺並びに柿を代表する句、東大寺の鐘を聞いての作ではあるが（子規）。長閑な田園地帯の斑鳩であればこその法隆寺（虚子）、何度見ても何時間見ても飽くことがない百済観音、後世の人も同様であろう（秋櫻子）、一度是非見たいと思う小溝と芹の花（實）、長い間秘仏とされた夢殿の救世観音の扉は、明治期フェノロサにより開かれた（秞子）、落雷焼失後再建された頃、蚕豆が中国から渡来したと聞くと感慨深い（浩）、当たり前のことをさりげなく詠み、絶妙の季語で滋味ある句に成す（尚毅）、万葉の世から詠まれ続けて来た低いが存在感ある大和三山は、盆地のどこからも望めて目立つ（敬雄）。

㊽栗（北信濃小布施）

縄文時代から食糧の落葉高木

樹高二十メートルに達する落葉高木。樹皮は灰黒色、葉は単葉で互生し葉身は革質。六月頃開花し、細長い穂状花序を下垂させ独特の匂いを発する。果実は堅果で球状の毬に包まれる。古くから食糧とされ、材は固く建築・器具材、工芸品に利用され椎茸の榾木になる。

世の人の見付けぬ花や軒の栗　松尾芭蕉
（おくの細道・須賀川）

死の見ゆる日や山中に栗落とす　秋元不死男

長兄は二歳の仏栗ごはん　成田千空

蝶群れて舞ひ痴るる栗の花盛り　高橋睦郎

青栗や縄文土器に火の匂ひ　浅井民子

栗の花即身仏の濡るる唇　照井　翠
（震災句集『龍宮』）

焼栗のほのかな匂ひ祇園の夜　河原地英武

花栗の一山揺する香なりけり　中西夕紀

栗を剝く包丁として古りにけり　今瀬一博

僧栗斎《りつさい》の庵での句、目立たぬ栗の花に芭蕉の好む隠者を重ねる（芭蕉）、盟友西東三鬼の癌発覚直後の呆然たる作者の心境を詠う（不死男）、夭折の長兄と一緒に栗御飯を戴く（千空）、栗の花盛りの中、その強烈な香にむせび陶酔したように群れて蝶が舞い飛ぶ（睦郎）、縄文人の欠かせない主要な食糧の栗、縄文土器で湯掻いたと思うと感慨深い（民子）、東日本大震災の津波で亡くなった少女の唇、栗の花が切ない（翠）、祇園でもあり皇室にも献上されていた丹波栗だろうか。喉が鳴る！（英武）、山栗が山肌を白く染めるかに咲き誇り、一山を揺るがすほど強烈な匂いを発する（夕紀）、永年栗の皮を剝ぐために愛用の包丁、使い古した愛着がある（一博）。

▼栗の花

北信濃の小布施町は長野市の北隣で、小林一茶の故郷、柏

◀栗の実（写真提供：山岡喜美子氏）

原町も近い。千曲川の舟運で発達し、交通・経済・文化の要所として栄え、将軍家献上栗として名高く栗落雁等の栗菓子、栗おこわが全国的に知られる。豪商高井鴻山の招きで葛飾北斎がたびたび当地を訪ね、福島正則の墓や一茶の「やせ蛙」句碑のある岩松院の本堂大天井に描いた二十一畳の八十五歳の作「八方睨み大鳳凰図」は圧巻で、北斎館の肉筆画、画稿も知られる。

拾はれぬ栗の見事よ大きさよ　小林一茶
紫陽花に秋冷いたる信濃かな　杉田久女
小布施町栗咲くゆゑの薄暑かな　能村登四郎
奥信濃夜は北斎の稲びかり（北斎館）　和田順子
裏山に熊の出没栗の頃（岩松院）　広渡敬雄
栗拾ひ山の裏手へ出てしまふ　小野あらた

一茶らしいシニカルな句で落栗に自身を投影する（一茶）、父の納骨で父の故郷松本を訪ねた大正九年の作で信濃を代表する句（久女）、栗が咲き少し汗ばむ日和に小布施を巡る（登四郎）、北斎画の稲妻が奥信濃に轟き、稲の実りの時期となる（順子）、栗は熊の大好物（敬雄）、「平凡は妙手にまさる」を座右の銘とする若手俳人の力を抜いた句（あらた）。

㊾ななかまど（蔵王山）

鮮やかな紅葉と果実

ななかまどはバラ科ナナカマド属の落葉高木。夏に複散房花序の白い花が咲き、秋に奇数羽状複葉が紅葉し、果実も真赤に熟す。山地に自生するが、札幌の街路樹が名高い。

いよようすき空気大事にななかまど　鷲谷七菜子
実の艶の雪にさきはふななかまど　深谷雄大
にこにこと雨男来る七竈　今井　聖
赤子にも無くて七癖ななかまど　戸恒東人
啄めるかほの小さしななかまど　広渡敬雄
寡男《やもを》とはぬけがらのことななかまど　橋本喜夫
実となりて薔薇の本性ななかまど　白濱一羊
ななかまど熟れて乱世の男恋ふ　仙田洋子

▲ナナカマドの花

標高が高い地点のナナカマドゆえ、目を見張る濃い朱色（七菜子）、さすが旭川の俳人、雪とななかまどの競演を「幸う」と称える（雄大）、遭難が多い秋山行の冷雨、岳友は能天気か自信家なのだろう（聖）、「な」の頭韻を踏み、真っ赤な頬の孫への溺愛ぶり（東人）、冬の到来の前に必死に啄む鳥たち（敬雄）、最愛の妻を亡くし虚脱状態の作者には、この色彩は身に沁みる（喜夫）、バラ科？　との思いも、ななかまどの赤い実を見ると膝を打ち納得する（一羊）、血とも紛うななかまどの実を見て、乱世の猛々しい男を恋う（洋子）。

▼ナナカマド紅葉前の実

蔵王連峰は奥羽山脈の中央部、宮城山形の県境で、日本百名山の活火山。山麓には両県とも温泉、スキー場が多い。冠雪期以外は、最高峰の熊野岳や御釜（火口湖）へロープウェイや車で楽に行け、四季を通して両県の主要観光地である。

秋風に石ひとつ積む吾子のため　角川源義

◀ナナカマドの紅葉

月ふかくさすや蔵王の帚草　中岡毅雄

岩ひばり森林限界線晴れて　菅野孝夫

紙を漉く雲海に手を晒しけり　（白石和紙小屋）　中尾公彦

山小屋のシャム猫の眼よ遠雪崩　（蔵王スキー合宿）　細谷喨々

眠るものみな眠らせて木の実降る　衣川次郎

余震続く地に馬鈴薯の種を置く　柏原眠雨

雪渓の風のふくらむ中に座す　林　誠司

蔵王嶺に雲低くあり掛大根　大沢美智子

自死した最愛の次女に、蔵王山頂で自責の念の石を積む（源義）、蔵王の色付いた帚草の奥まで月光が差し入る（毅雄）、夏には森林限界の高山に移る岩ひばり（孝夫）、芭蕉や二月堂お水取りの僧侶が着る防寒用の紙子は、古くから蔵王山麓の白石産和紙を使う（公彦）、若き日の山小屋、遠雪崩に耳を欹て青色の眼を光らせるシャム猫（喨々）、蔵王山麓の晩秋の景（次郎）、東日本大震災罹災後の余震の中、蔵王を遠望する地に、馬鈴薯を植えて再興を期す（眠雨）、奥の細道を歩いて辿る作者、白石から仙台への道すがらだろうか（誠司）、蔵王連峰の寒い吹き下しが生み出す「へそ大根干し」で名高い山麓の光景（美智子）。

㊿石榴（神戸）

西南アジア原産の落葉樹

原産地イラン・トルコでは子孫繁栄、豊穣の象徴とされ、楕円形の単葉が対生し、初夏、朱赤色の花が咲き、厚い果皮の果実は秋に裂開し、淡紅色の甘酢っぱい多数の種子を有す。

▶花石榴

風雲の一片とある柘榴の実　瀧　春一
石榴割り侠客になりそびれたる　塩野谷　仁
実石榴の一顆一顆に詩想充つ　鈴木貞雄
石榴紅し都へつづく空を見て　柿本多映
落石榴陶片のごと散らばつて　名村早智子
バザールの皺深き手に柘榴の実（エルサレム）　井出野浩貴
ラマダンの始まりを告ぐ花柘榴　堀切克洋

イスラムに石打ちの刑花ざくろ　柘植史子

淡色な秋の風雲に比して鮮やかな存在感の石榴（春一）、叙情を同じくするから俳句は任侠・無頼と通ずるとの信念の作者（仁）、ルビーのような柘榴の実に詩想が満ちている！（貞雄）、蛇笏賞作家、実家の三井寺から山向うの都へのやや屈折感もあるような（多映）、乾いた固い皮質の落柘榴を陶片とは言い得て妙（早智子）、市場《バザール》の柘榴売のアラブ老人の手は民族の悲史を刻む（浩貴）、花柘榴の頃から一ヶ月の過酷な断食月が始まる（克洋）、「ラジム」と呼ばれる残酷な刑。花柘榴が罪人の苦痛な呻き声、血も暗示する（史子）。

神戸は古くから湊であったが、慶應三（一八六七）年の開港以来、我が国を代表する国際貿易港として発展し、後背の六甲山からの夜景は日本三大夜景（百万ドルの夜景）と言われ、北野町の風見鶏の館等の洋館街や神戸東部から西宮にかけての灘五郷の酒造で名高い。

露人ワシコフ叫びて石榴打ち落す　西東三鬼
初がすみうしろは灘の縹色　赤尾兜子
白梅や天没地没虚空没　永田耕衣

◀石榴（写真提供：倉田有希氏）

妻来たる一泊二日石蕗の花　小川軽舟
摩耶山の彩づきそむと障子貼る　小路智壽子
「俳愚伝」紅葉の雨と神戸港　大井恒行
滝の上にまづ水音の現れぬ　和田華凜
（日本三大神滝・神戸布引の滝）
鮊子の海に淡路の横たはる　三村純也
六甲全山縦走釣瓶落しかな　広渡敬雄

俳句弾圧事件後、東京より神戸に逃れ山本通の「三鬼館」で暮らすが、革命で国を失い当地の日本人妻も失った隣人、孤独な白系露人ワシコフの日々の一齣を切り取る（三鬼）、東西に長い神戸の初春の景（兜子）、阪神淡路大震災で辛くも九死に一生を得た感慨（耕衣）、神戸での十年近い単身生活の日々を描いた句集『朝晩』で俳人協会賞に輝いた。妻の来訪は嬉しい（軽舟）、摩耶山の麓に住み、その紅葉を目処に障子を貼り替える（智壽子）、三鬼の神戸時代も含む自伝、神戸初日は初冬の港の見える宿だった（恒行）、「諷詠」四代目主宰、曾祖父後藤夜半の滝の句を念頭に継承の覚悟を詠う（華凜）、神戸の春の風物詩「釘煮」の鮊子《いかなご》は、明石海峡周辺が好漁場（純也）、毎年十一月下旬、須磨から摩耶山、六甲山を経て宝塚に下る、関西のハイカー憧れの全長四十七キロの大会、終日大阪湾を望む（敬雄）。

㊴楮・三椏：越前市今立町／㊵檸檬：尾道市生口島／㊶橡：奥会津・檜枝岐と尾瀬／㊷ニセアカシア：秋田県・小坂町／㊸楓：大阪府箕面の森／㊹富士・青木ヶ原樹海／㊺仏桑花：沖縄／㊻プラタナス：神田界隈・街路樹／㊼柿：法隆寺／㊽栗：北信濃小布施／㊾ななかまど：蔵王山／㊿石榴／神戸

日本の樹木50選 最適地分布図

❶杉：熊野古道・大門坂／❷椿：足摺岬／❸魚付林：気仙沼・唐桑の海／❹山毛欅の美人林：新潟県十日町市松之山／❺楠：住吉大社／❻水楢：奥多摩町・丹波山村／❼落葉松：旧軽井沢／❽檜：木曾赤沢自然休養林／❾ポプラ：北海道大学／❿白樺：南佐久・八千穂高原／⓫銀杏：神宮外苑／⓬松：草加松原／⓭竹：京都・乙訓郡大山崎町／⓮都心のオアシス：明治神宮の森／⓯馬酔木：京都府木津川市・浄瑠璃寺／⓰桃：山梨県笛吹市／⓱イチイ：位山・飛騨一宮水梨神社／⓲ヒトツバタゴ：対馬／⓳チングルマ：北アルプス・薬師岳／⓴メタセコイア：湖西高島市・マキノ町／㉑オリーブ：小豆島／㉒漆：奥久慈・大子町／㉓欅：武蔵野台地／㉔蘇鉄：堺市・妙国寺／㉕菩提樹：太宰府市観世音寺・戒壇院／㉖榎：中山道垂井宿の一里塚／㉗梛：熱海市・伊豆山神社／㉘植林杉：秩父／㉙茶の木：牧之原台地／㉚泰山木：松山市・愛媛大学／㉛柳：那須・芦野遊行柳／㉜這松：北アルプス・乗鞍岳／㉝桑：群馬県・富岡製糸場／㉞桐：会津・三島町／㉟トドマツ：富良野町・東大演習林／㊱櫨：久留米市柳坂曽根／㊲木頭柚子：徳島県那賀町／㊳防風屋敷林：出雲・礪波平野・十勝平野

主要参考文献（＊句集・歌集・詩集・雑誌は除外する）

新撰『俳枕』（全七巻）、朝日新聞社編、昭和62年、朝日新聞社

『ふるさと大歳時記』（全八巻）阿波野青畝他編、平成7年、角川書店

『俳句の旅』（全九巻）井本農一他編、昭和63年、ぎょうせい

『山の俳句歳時記』大野雑草子編、平成12年、博友社

新訂『山の俳句歳時記』岡田日郎編、平成10年、梅里書房

『俳壇百人』（上・下）倉橋羊村、平成5年、牧羊社

『大正時代の花形俳人』小島　健、平成18年、ウエップ

『木々百花撰』高橋　治、平成元年、朝日新聞社

『ブナの山旅』坪田和人、平成11年、山と渓谷社

吟行版『季寄せ草木花』（全七巻）中村草田男選・監修、昭和56年、朝日新聞社

『現代俳句辞典』第二版（「俳句研究」別冊）、「俳句研究」編集部、昭和63年、富士見書房

『吟行案内シリーズ』俳人協会編（含む　新刊分）、俳人協会

『現代俳句の鑑賞』長谷川　櫂、平成13年、新書館

『日本の樹木』林弥栄編・解説、畔上能力・菱山忠三郎解説、昭和60年、山と渓谷社

『樹皮・葉でわかる　樹木図鑑』菱山忠三郎監修、平成28年、成美堂出版

『俳枕』（東日本・西日本）平井照敏編、平成3年、河出書房新社（文庫版）
『花の一句』山西雅子、平成23年、ふらんす堂
『現代俳句』山本健吉、昭和59年（改版十七版）、角川書店
『俳句　花の歳時記』（春夏秋冬）読売新聞社編、昭和61年、読売新聞社
『林野庁フォレスターが選んだ森と樹木のフィールドガイド』林野庁森歩き研究会編、平成7年、山と渓谷社

〈カバー写真提供〉ヒトツバタゴ：一般社団法人　対馬観光物産協会、杉：一般社団法人　那智勝浦観光機構
仏桑花：倉田有希氏、白樺：佐久穂町商工観光課
〈表紙写真提供〉山毛欅＝一般社団法人　十日町市観光協会、石榴：倉田有希氏
〈扉写真提供〉桐：三島町観光協会、柿：倉田有希氏

あとがき

四年前に「俳壇」編集部から一年間の連載の依頼があり、「日本の樹木十二選」を始めた。結果的には四年間継続して四十八回となり、今回二つ追加して『俳句で巡る日本の樹木50選』として書籍化することとなった。樹木そのものだけでなく、花、果実まで広げ、かつその最適地の選定には、特に心を砕いたが、全てこれまで自ら訪ねた地から選んだ。

山毛欅は、半世紀に渡って歩いた全国の何百もの山毛欅の森の中から、日本初のユネスコ世界遺産（自然遺産）となった白神山地や森林セラピーで名高い奥志賀・カヤノ平も捨て難かったが、その美しさに息を呑んだ新潟県十日町市・松之山の美人林《びじんばやし》とした。

椿は、伊豆大島や萩市笠山の群生椿かとも迷ったが、四国八十八箇所霊場・足摺岬の潮鳴りの椿トンネルとした。また東京都水道水源林の多摩川源流地の笠取山・水干から湧き出す一滴の水が流れ下り、一千万人超の都民を潤すかと思うと殊に印象深かった。

本書に載せた樹木の最適地は、私なりの「樹木の俳枕」である。

外来種を含めた単体の樹木だけでなく、その対象を魚付林、水道水源林、人工林、街路樹、街道樹（一里塚）、大学演習林、防風林（屋敷林）、樹海、公園林、森林浴のセラピー効果の森等々、人間との関わり深い森や林にも広げた。あまり一般の方が見られない山の樹木は避け、かつ花の代表である桜・梅は除いた。丈が僅か十センチの可憐な高山植物の「ちんぐるま」が、れっきとした木であることを認識していただければ有難い。

朝日俳壇の「うたをよむ」に寄せた二つの掲載コラム（①平25・4・8付、②令2・6・7付）で、私の樹木・森に対する基本的な考えを知っていただければ幸いである。

この連載を始めてから、樹木関連資料の俳句のみならず、恵贈いただいた句集からも、意識して選ぶように心がけた。掲載句には私なりの思い入れもある。

写真は、連載時は白黒であったが、本書ではフルカラーとしたので、視覚的にも美しい樹木を楽しんで頂けたら嬉しい。全体の樹形に加え、接写した花、葉、幹、実も入れた。

本書をお読みいただき、「ああ、あの木か！」と認識して頂ければ幸いであり、樹木の掲載の地（俳枕）を訪ねてみようかと思ったり、実際に素晴らしい樹木を愛で、癒しを享受してもらえれば、筆者の喜びもこの上ない。

最近の俳句では、樹木も含めた自然が詠まれることが少なくなった。我々は少しでも自然に目を向け、その一員であることを自覚し、その素晴らしさとともに恐ろしさも知るべきだとも思う。

先人、また旬の俳人の様々な樹木の佳句を知り得たのも、この企画のおかげであり、加えてその俳枕をさらに詳しく理解できたことも望外の喜びであった。

写真を提供していただいた句友、各地の市町村の観光関連部署の方々には、改めて深くお礼を述べたい。

連載時に加えて、書籍化で大変お世話になった「俳壇」編集長・安田まどか様、編集部山崎春蘭様、また第三句集「間取図」に続き装幀の労を賜った間村俊一様に深く謝すとともに、俳句を引用させていただいた多くの俳人の方々に心よりお礼を申し上げたい。

令和三年七月

広渡敬雄

著者略歴

広渡　敬雄（ひろわたり　たかお）

昭和26（1951）年４月13日、福岡県遠賀郡岡垣町生まれ
平成元（1989）年　句作を始める
平成２（1990）年「沖」入会、能村登四郎に師事
平成９（1997）年「沖」潮鳴集同人、俳人協会会員
平成11（1999）年　第１句集『遠賀川』上梓(中新田俳句大賞次席）
平成19（2007）年　「青垣」創刊参加（のち退会）
平成21（2009）年　第２句集『ライカ』上梓
平成24（2012）年　第58回角川俳句賞受賞
平成25（2013）年　「塔の会」会員
平成28（2016）年　第３句集『間取図』上梓（第２回千葉県俳句大賞準賞）

句集　『遠賀川』『ライカ』『間取図』
共著　『脚註名句シリーズⅡ―５　能村登四郎集』
現在　「沖」蒼芒集同人、俳人協会幹事、「塔の会」幹事、日本山岳会会員

住所　〒261-0012　　千葉市美浜区磯辺3-44-6
電話・FAX　043-277-8395

俳句《はいく》で巡《めぐ》る日本《にほん》の樹木《じゅもく》50選《せん》

令和三年八月三十日　初版発行

著　者　広渡　敬雄
発行者　奥田　洋子
発行所　本阿弥《ほんあみ》書店
〒一〇一―〇〇六四
東京都千代田区神田猿楽町二―一―八　三恵ビル
電話　〇三―三二九四―七〇六八
振替　〇〇一〇〇―五―一六四四三〇
印刷・製本　日本ハイコム株式会社
定　価　二四二〇円（本体二二〇〇円）⑩

ISBN978-4-7768-1571-6　C0092（3287）